Marie Desplechin

Toujours fâchée

Le journal d'Aurore 2

Médium
l'école des loisirs
11, rue de Sèvres, Paris 6e

Du même auteur à *l'école des loisirs*

Collection Médium

J'envie ceux qui sont dans ton cœur
Satin grenadine
Séraphine
Jamais contente (Le journal d'Aurore 1)

Loi n° 49.956 du 16 juillet 1949 sur les publications destinées à la jeunesse : mars 2007
Dépôt légal : août 2009
Imprimé en France par CPI Bussière
à Saint-Amand-Montrond
N° d'impr. : 092105/1.
ISBN 978-2-211-08722-3

À Kim Leforestier
À Violette Platteau,

avec gratitude et affection

OCTOBRE
Ma vie chez mes ancêtres

2 octobre

Rien.

3 octobre

Rien.

4 octobre

Rien. Je suppose que c'est l'anniversaire de quelqu'un. Mais de qui ? Quelqu'un qui n'a pas d'amis est faiblement concerné par les dates d'anniversaire.

5 octobre

– Arrête de faire la tête, a dit maman. Tu me fatigues.

– Je ne fais pas la tête. Ce n'est pas ma faute si on n'a rien à se dire.

Elle a continué à peloter sa salade dans le bac à légumes. Le temps qu'elle peut passer à tripoter une malheureuse laitue dans de l'eau glacée, c'est étonnant. Parfois je me demande ce qu'espèrent vraiment les parents. Une conversation sur les légumes ?

– C'est toi qui as demandé à partir chez tes grands-parents, je te le rappelle.

– Facile. Vous étiez trop contents de vous débarrasser de moi.

Elle a sorti une grosse feuille de la flotte et elle me l'a agitée sous le nez en criant.

– Tu râles sans arrêt ! Je n'en peux plus ! Fiche le camp !

– Ah non ! Tu ne peux pas me mettre à la porte ! Je suis encore ici chez moi pendant trois jours.

La feuille de laitue a bondi sur moi. Derrière, les mains toutes rouges de ma mère, et derrière encore son visage furieux et non moins rouge. Il y a eu de l'eau partout, tout juste si j'ai eu le temps de faire un saut en arrière.

– Hé, j'ai protesté, c'est la guerre civile ou quoi ?

La feuille de laitue a atterri en plein sur ma figure. C'était tellement violent que je suis sortie de la cuisine. Bien obligée. On ne sait jamais comment les choses vont dégénérer. Ça commence par une feuille de laitue et ça se termine par des tirs de roquette.

Quand j'ai fermé la porte, j'ai entendu ma mère qui riait toute seule. Cette femme est un danger public. J'ai peur de laisser mes sœurs derrière moi. Qui sait ce qui leur arrivera quand j'aurai quitté cet enfer ?

6 octobre

J'ai demandé à Jessica si elle avait de bons souvenirs de son séjour chez les ancêtres.

Après tout, elle a de l'expérience. Ils l'ont recueillie l'année dernière sous prétexte de persécutions familiales, elle et sa langue percée. Elle est restée dix jours sous protection avant d'être renvoyée en milieu hostile.

– C'était cool, dit Jessica.

Le problème avec ma sœur aînée, c'est qu'elle n'a pas beaucoup de vocabulaire. On a du mal à tenir une conversation un peu intéressante plus de deux secondes.

– Cool comment ?

– Cool. Bien cool.

Autant parler à un dauphin. Et encore. Il paraît que les dauphins ont une syntaxe.

– Sois cool, Jessica. Donne un exemple.

– La Blédine. La Blédine à la paille, c'était trop cool.

Rien d'autre à en tirer.

Un lexique de quatre mots et des souvenirs alimentaires.

Je me demande si j'aurai droit à la Blédine.

7 octobre

Quand je pense que dans deux jours je déménage, j'ai envie de fondre en larmes. Ou de sauter de joie. J'hésite. Je suis une personne qui ne sait jamais si elle est hyper excitée ou hyper malheureuse. Ma vie est un Himalaya d'hyper hésitations.

8 octobre à midi

Je suis très gentille depuis ce matin. J'ai fait une bise à ma mère et une autre à mon père au petit déjeuner. Pourtant je ne connais rien de plus répugnant que d'embrasser des gens blanchâtres, chiffonnés, pas lavés et qui sortent du lit. J'ai même dit bonjour à mes sœurs ; sourire compris. Tout le monde m'a répondu aimablement. Ils étaient sous le charme de ma nouvelle gentillesse. Ils m'adorent. Ils n'oseront jamais m'envoyer là-bas, c'est tout vu.

8 octobre au soir

Je n'aime pas les endives à la béchamel. Pourquoi on fait des endives à la béchamel un samedi, mystère…

C'est long à préparer et c'est mauvais. Pourquoi pas des pâtes au parmesan, comme dans toutes les familles normales ? Ma mère ne supporte aucune remarque sur sa cuisine. Elle en fait une affaire d'honneur. Où va se nicher l'honneur de ma mère ? Dans des endives, c'est quand même marrant.

Cette fois, c'est mon père qui m'a mise à la porte de la salle à manger. On ne peut rien dire dans cette famille sans que les gens vous jettent dehors.

8 octobre, plus tard

Je n'arrive pas à croire que, demain soir, je dormirai dans un autre lit que le mien. Mon pauvre petit lit, si moelleux, si sympathique, je t'aimais tant. Nous voilà séparés par des géniteurs impitoyables et une horrible note de téléphone.

9 octobre

Cher petit journal, tu es tout ce qui me reste de mon ancienne vie. Toi et la note de téléphone.

Ils l'ont fait. Mes parents viennent de me déposer chez Mamie et Papi. Plus exactement : mes parents viennent de me larguer sur zone. Je suis un sac de linge sale qu'on balance à la laverie. Une chose encombrante et moyennement propre. Même ma grand-mère avait l'air écœuré quand elle m'a ouvert la porte. Je suis entrée dans la maison la tête basse. Le couloir est décoré de portraits du dalaï-lama et de quelques autres vieillards anonymes énigmatiques et plus ou moins barbus. C'était comme si j'entrais dans un vieux couvent. Moi dans le rôle de la rebelle persécutée, Mamie dans le rôle de l'implacable geôlière.

J'ai traîné ma valise jusqu'à l'horrible chambre rose saumon, mystérieusement appelée chambre d'amis. Personne n'a jamais vu aucun ami dedans, ce qui n'est pas totalement étonnant. Quel ami au monde accepterait de dormir dans une chambre entièrement rose saumon (papier peint rose saumon, couvre-lit rose saumon, abat-jour rose saumon) ?

Je me suis couchée sur le lit sans enlever ma veste. J'ai regardé le plafond pendant des siècles en attendant que la terre s'arrête de tourner. Pour finir, Geôlière Implacable a entrouvert la porte.

– Bienvenue, ma chérie, a-t-elle dit avec son sourire d'illuminée. Ici commence ta nouvelle vie.

Qu'est-ce qu'on est censé répondre à ce genre de remarque démente ?

– Cette chambre sent le poisson.

Mamie n'a rien dit.

Elle a refermé doucement la porte et elle m'a abandonnée. Elle a choisi la stratégie de l'usure. Il n'est pas sûr qu'elle l'emporte. Pas sur ce terrain. La guerre des nerfs, c'est un peu mon truc aussi. Je suis sa petite-fille, jusqu'à preuve du contraire.

10 octobre

Mes gardiens me refusent la Blédine. Quand j'en ai fait la demande, on m'a souri méchamment.

– Un peu régressif pour une grande fille, tu ne trouves pas ?

– Oui mais Jessica, elle…

– Jessica était blessée.

– Pas du tout. C'était sa langue.

– C'est bien ce que je te dis. Elle avait la langue percée.

– Elle l'a toujours.

– Je sais, mais enfin, la pauvre, elle était tuméfiée.

– Ça veut dire que, si je veux de la Blédine, il faut que je me tuméfie ?

– Par exemple, ma chérie. Mais réfléchis bien avant.

Je m'en fiche.

Je vais m'acheter un biberon avec mon argent de poche.

12 octobre
Mamie est contre les céréales. Trop gras, trop sucré, trop américain. J'ai fouillé tous les placards, pas un seul paquet. Le matin, elle fait griller des tranches de pain qu'elle beurre consciencieusement, avant de les empiler à côté de mon bol de thé. Je n'aime pas le thé. Le pain en tranches a un goût de poussière. Je me suis sentie terriblement déprimée toute la journée. Je crois que je fais une carence. Je manque de gras, de sucre et d'Amérique.

Je n'ose pas entrer dans une pharmacie pour demander un biberon. J'ai peur que le pharmacien appelle ma grand-mère et me balance.

13 octobre
Le téléphone est attaché à son socle par un câble énorme garanti incassable. Il est noir, il est gros, il est moche. Ils ont dû l'acheter à prix d'or dans une brocante. Des téléphones comme ça, on en fabrique plus depuis le Moyen Âge.

Le vrai souci, c'est qu'il est installé au beau milieu de la salle à manger, à côté du fauteuil de Papi. Or ce vieux Papi quitte rarement son fauteuil. En gros, on peut dire qu'il vit dedans. Il vit comme un vieux chien, avec tout le respect que je lui dois. Il dort, il lit, il regarde la télé. Le reste du temps, il se déplace légèrement de son fauteuil à sa chaise. C'est l'heure de manger et tout le monde passe à table.

J'ai du mal à comprendre ces histoires de retraite. Pourquoi faut-il qu'à un certain anniversaire les gens s'arrêtent de faire des trucs ? À ce compte-là, on pourrait les mettre directement à l'hôpital. Dans une société bien faite, tout le monde devrait travailler. Pas seulement les jeunes, les vieux aussi. Pas forcément beaucoup, mais un peu. Au moins, ils quitteraient leur fauteuil une fois par jour. Tout le monde serait content, les uns de faire un peu d'exercice, les autres de pouvoir approcher du téléphone.

À moins de déclencher une alerte à l'incendie et de faire évacuer les lieux, je n'ai aucune chance de m'approcher du poste. Adieu Julien, adieu mon cœur.

13 octobre, plus tard

Mon grand-père lit dans son fauteuil, ma grand-mère chantonne dans la cuisine. J'ai des angoisses nocturnes.

14 octobre

Je prends le bus. Il faut vingt minutes pour aller au collège le matin. Le soir, le trajet me prend presque deux heures. Je ne sais plus quoi inventer pour traîner à la sortie des cours. Je guette de vagues connaissances. J'attends ceux qui sortent en retard. J'ai même essayé de discuter avec des gens de ma classe. Si ça continue, je vais finir par parler aux profs. Je suis devenue anormalement sociable. Quelqu'un devrait alerter le médecin scolaire.

15 octobre

Ma grand-mère a eu un brusque accès de santé mentale. Elle a remarqué que quelque chose ne tournait pas rond. Hélas, elle est aussitôt revenue à son état normal. Plutôt que de me poser les vraies questions («Pourquoi es-tu si malheureuse, ma chérie?»), elle m'a fait des propositions idiotes.

– Veux-tu faire des mots fléchés, ma chérie?

– Veux-tu venir au supermarché avec moi, ma chérie?

– Veux-tu apprendre à faire une pâte à crêpes, ma chérie?

L'intérêt des questions idiotes, c'est qu'on n'a pas à se fatiguer pour répondre.

– Non, non et non.

J'aurais bien ajouté que ce que je voulais, c'était de la Blédinc, mais je n'avais pas la patience de me taper une nouvelle leçon de morale. La conversation s'est arrêtée là. Mamie s'est remise à chantonner et je me suis réfugiée dans ma chambre. Un million d'années plus tard, j'en suis sortie et nous avons regardé « Fort Boyard » tous les trois. Un dans le fauteuil. Deux dans le canapé. Quand je suis allée me coucher, mes yeux pleuraient un peu, mes genoux étaient coincés et j'avais quatre-vingt-dix ans. Mes grands-parents sont contagieux. Je vais mourir de vieillesse avant d'avoir connu l'amour. Quelqu'un devrait faire un roman de ma vie. Ce serait un roman tragique.

16 octobre

Ma vie chez mes ancêtres est un tel marécage de nullité que j'étais furieusement contente à l'idée d'aller déjeuner dans mon ancien foyer. Un peu d'animation en perspective. Et au moins, ma mère ne chantonne pas.

Quand je suis entrée dans ce vieil appartement qui fut chez moi, ils m'attendaient tous les quatre, groupés comme des porcelets sous la truie, le visage dévoré de curiosité. Leurs regards allaient de moi à Mamie, de moi à Papi, et retour...

Je vais vous donner le fond de ma pensée : ils étaient inquiets et honteux. Je sais ce qu'ils auraient voulu. Que je leur saute au cou pour les embrasser.

Que Mamie leur raconte combien j'étais adorable, et comme les choses se passaient bien dans notre merveilleuse nouvelle vie. Ils auraient voulu que je sois transformée par l'exil et que je sois devenue une gentille fille. Ils auraient voulu que je leur pardonne et que nous soyons tous heureux.

Eh bien, pas question.

Sorry, les amis. Je ne suis pas du bois dont on fait les cruches.

– Salut, ai-je fait et je n'ai embrassé personne.

Je me suis précipitée au fond du couloir et j'ai attrapé le téléphone.

– Allô, Lola?

18 octobre

Une chose est vraie: l'éloignement vous fait découvrir des choses que vous ne soupçonniez même pas.

Par exemple, j'ai découvert qu'on se passe très bien de sa famille. Je ne les ai pas vus pendant toute une semaine et c'était comme si je ne les avais jamais quittés.

Les familles sont éternelles.

– Ne te bourre pas de pain avant de manger, m'a lancé mon père alors que je grignotais modestement quelques miettes en attendant le rôti.

– Tu pourrais te montrer un peu plus gentille avec ta grand-mère, m'a glissé ma mère.

– Pour avoir les félicitations du jury au bac, s'est inquiétée Sophie, il faut avoir seize de moyenne ou au-dessus de seize ?

Jessica cherchait ses mots. Elle n'a pas eu le temps de remettre la main dessus parce qu'on a sonné. Elle a bondi de sa chaise comme une fusée pour aller ouvrir. Stupéfaction : c'était l'affreux type du 14 Juillet. Il n'a pas embelli depuis l'été. Elle ne l'a présenté à personne. Elle s'est contentée de l'embrasser et elle est partie avec lui sans dire au revoir. Quand je pense que c'est moi qu'on accuse d'être désagréable, je me pince.

Ma famille ne me manque pas. Ce qui me manque, c'est Lola. Même amoureuse d'un garçon qui était soi-disant son frère il y a encore six mois, Lola reste Lola. En plus, elle habite en face.

Si Jessica a le droit de quitter la table pour déguerpir avec un type affreux inconnu de tous, rien ne m'empêche de filer chez ma voisine que tout le monde connaît.

– Tu peux leur faire un procès, a dit Lola quand j'ai eu fini de lui expliquer ma situation. Les parents n'ont pas le droit de laisser tomber leurs enfants.

– Ils ne me laissent pas tomber. Ils me collent chez mes grands-parents. Donc, non seulement ils s'occupent de moi, mais ils se mettent à quatre pour le faire. Si je m'en mêle, c'est moi qu'on va finir par accuser, tu verras.

Lola a réfléchi un bon moment.

– Fais une fugue. Ça leur apprendra.

Cette fille n'a peut-être pas inventé la poudre à couper le beurre, mais il faut reconnaître que par moments elle a du génie. Nous avons passé le reste de l'après-midi à monter les opérations. Quel jour. À quelle heure. Où se cacher. Comment se ravitailler. Comment négocier. Trop de questions essentielles. Et zéro réponse, ça va sans dire. Nous étions tellement occupées que Maman a dû m'appeler pour que je rentre à l'appartement. Mes grands-parents m'attendaient pour partir.

Déjà l'heure de reprendre le chemin de l'horrible chambre rose saumon. Malédiction.

– On s'en reparle dimanche prochain, a proposé Lola.

– Pourquoi pas mercredi ?

– Impossible. Le mercredi, je vois Marceau.

Retour à la réalité. Avant d'être mon amie, cette fille fantastique est folle d'amour pour un grand type brun à bouche molle. J'ai eu une très forte envie de lui envoyer une claque. Mais je me suis tenue. Quand on n'a qu'une alliée dans la vie, on a intérêt à l'économiser.

– À dimanche, ai-je fait, et j'ai tortillé sept fois ma langue dans ma bouche pour m'empêcher de dire autre chose.

20 octobre

Je pense à cette fugue du matin au soir. Pensée délectable entre toutes. Si je ne fais pas attention, je suis capable de me mettre à chantonner. Mamie doit soupçonner quelque chose parce qu'elle me regarde du coin de l'œil. Elle ressemble terriblement à Inspecteur Gadget quand elle veut (pour ceux qui ont l'âge de se souvenir).

Elle m'est tombée dessus ce matin, alors que j'engloutissais quelques montagnes de pain grillé arôme poussière.

– Les choses ont l'air d'aller mieux, ma chérie...

– Et comment! ai-je fait en me levant d'un bond pour courir après le bus.

J'ai honte de tromper traîtreusement une aïeule qui n'a que bons sentiments à mon égard. Je suis un monstre de dissimulation.

25 octobre

C'est Papi qui m'a appelée :

– Aurore ! Téléphone ! Pour toi !

Téléphone ! Incroyable ! En une seconde, je me suis persuadée que Lola, après avoir plaqué Marceau, m'appelait pour me donner rendez-vous mercredi après-midi. C'est fou comme l'imagination fait bien les choses, avant que la réalité lui rabatte le caquet.

– Allô ?

– Allô, c'est moi... Ça va ?

Mon cœur s'est mis à battre si fort que j'ai cru qu'il allait me sortir de la cage thoracique par la bouche, le nez et les oreilles.

– Julien ?

– Ben oui, j'ai pas changé de nom, aux dernières nouvelles...

Cher petit cœur, il a réussi à me localiser.

– Je dois te dire un truc. Mes parents ont reçu la note. J'ai plus le droit d'approcher du téléphone. Là je me sers du portable d'un copain, mais c'est bon pour une fois. Ça va être difficile de t'appeler.

– On peut s'écrire...

– Tu as un ordinateur ?

– Pas chez mes grands-parents. Mais je vais t'envoyer une lettre.

– C'est sympa. Des lettres, justement, j'en reçois jamais.

Quand j'ai raccroché, j'hésitais. Je me demande si ça vaut la peine de garder un amoureux virtuel. Un type qu'on ne voit jamais, qui n'a rien à dire et auquel on ne peut même pas téléphoner, à quoi bon?

NOVEMBRE
Ruine de l'amour

1er novembre

Avantage de l'exil grand-parental: pas d'Halloween cette année. Ma grand-mère a déclaré la guerre aux céréales ET à Halloween. Elle déteste de près ou de loin tout ce qui vient d'Amérique. Je me demande ce qu'ils en pensent, en Amérique. Ils doivent avoir les jetons. Quant à Papi, il n'a jamais entendu parler d'Halloween. Logique pour un type qui n'entend plus grand-chose. Enfin, le résultat est là: j'ai échappé à l'apparition de cette courge de Sophie habilement déguisée en citrouille. Il n'y a pas que des inconvénients à vivre chez des sourds phobiques.

5 novembre

J'ai perdu Julien. Je l'ai perdu comme on perd un vieux chien. Je ne peux même pas dire que j'ai rompu. J'ai juste oublié d'y penser. Dans un sens, j'ai fait l'économie d'une lettre de rupture. Mais l'horrible vérité, c'est qu'il n'y avait rien à rompre. Il suffisait de ne rien faire. De toute façon, un type qui vous appelle pour vous dire qu'il ne vous appellera plus n'a rien à attendre d'une fille qui ne va même pas jusqu'à écrire qu'elle ne lui écrira plus (vous me suivez?). Je me demande s'il se rendra compte que nous sommes séparés. Par télépathie, peut-être. Pauvre petit cœur.

6 novembre

Je me demande pourquoi je suis sortie avec Julien. Je me demande pourquoi je suis sortie avec Marceau. Le problème n'est pas que je ne suis pas amoureuse. C'est que je ne suis même pas malheureuse. Je suis la championne du monde de la non-histoire d'amour.

10 novembre

Mes parents biologiques ont reçu la note de téléphone. Ce qu'on peut dépenser d'argent rien qu'en parlant, c'est effrayant. Tout ça pour un type qui ne me sert plus à rien, c'est bête.

Ultime bénéfice de mon exil grand-parental, j'ai échappé à l'engueulade, au sermon et aux menaces en direct. Malheureusement pas au remboursement. J'ai reçu la note par la poste. Pas besoin de mot d'explication, je sais reconnaître l'écriture de mon père sur une enveloppe. Merci papa. Je suis endettée jusqu'à la fin de mes jours.

Autant dire que l'amour, je fais une croix dessus. Trop cher pour moi.

11 novembre

J'ai passé cette sinistre journée à chercher une pharmacie de garde. Tout était fermé. Il reste quatre vieux soldats à moitié liquides à la surface de la terre et tout le monde en profite pour s'offrir une journée de congé. Vieille guerre de 14-18, tu es bien sympa de servir d'excuse.

J'ai fini par trouver une grosse croix verte allumée et une pharmacienne désœuvrée.

– Bonjour, j'ai dit, j'ai besoin d'un biberon.

Comme j'avais très chaud aux joues, je me suis pliée en deux. J'ai fouillé énergiquement dans les poches de mon pantalon pour en sortir ce qui me restait de monnaie. Elle s'est penchée sur son comptoir pour voir ce que je fabriquais. Je me suis relevée comme un ressort et elle a reculé brusquement.

– C'est pour mon petit frère ! j'ai hurlé.

– Au fond du magasin, près de la porte, sur le présentoir, à droite ! a-t-elle hurlé.

– Merci, j'ai hurlé.

Ensuite, c'était la fin des hurlements et je me suis jetée sur le présentoir. J'ai pris le biberon le moins cher, qui était aussi très logiquement le moins beau, une sorte de tube transparent imprimé de canards difformes. Le véritable canard Ninja post-explosion nucléaire : six pattes, des dents et le sourire irradié. À vous dégoûter de boire dedans. Cela dit, vu ce que j'avais d'argent de poche – et pour toutes les années à venir –, je n'avais pas le choix. C'était Canards Mutants ou rien.

– C'est pour mon petit frère, ai-je fait en claquant le biberon sur le comptoir.

– Je sais, vous me l'avez déjà dit, a répondu la pharmacienne.

Un peu grossière pour une pharmacienne, c'est ce que j'ai pensé. Mais je n'ai pas protesté (sept fois ma langue, etc.). Ce n'était pas le jour à faire la maligne et à repartir sans biberon. J'avais eu assez de mal à trouver un magasin ouvert.

– Vous savez vous en servir ?

– Pas besoin d'avoir fait Polytechnique. Je mets de la flotte dedans et je tète. Vous voyez une autre possibilité ?

Elle a haussé son sourcil finement épilé. Elle a eu un petit sourire supérieur.

– Je croyais que c'était pour votre petit frère ?

– C'est AUSSI pour mon petit frère.

– Alors, pensez à le laver soigneusement entre deux utilisations.

– Vous pouvez me faire confiance. Je ne tiens pas à attraper la gangrène.

J'ai compté la monnaie que j'avais dans la main. Il n'y en avait pas assez pour la Blédine. J'ai réglé le prix faramineux de mon biberon nucléaire et j'ai quitté la pharmacie la tête haute. Sous prétexte que ça porte une blouse blanche, les pharmaciennes, ça se croit tout permis.

12 novembre

Je suis passée dire bonjour à mes parents biologiques. Pas un mot sur la note de téléphone. Pas d'argent de poche non plus. Je vais devoir mendier dans la rue.

Pharmacienne, ce n'est pas mal comme métier.

On a la main sur tout le stock des produits régressifs, bouillies, tétines et biberons. Et je ne parle pas des couches. En plus, on peut jouer à la fois au docteur et à la marchande. Dommage qu'il faille faire des études pendant mille ans pour avoir le droit de participer. Des études à quel titre, on se demande. Moi aussi, je suis capable de me balader en blouse blanche et de tripoter une caisse enregistreuse.

En attendant, je remplis mon biberon en cachette et je le planque sous mon lit quand je sors de ma chambre. J'ai toujours un peu la trouille que Mamie le trouve et le confisque. Je suis victime du stress de la clandestinité.

13 novembre

La merveilleuse Lola est passée me voir. Un dimanche. Alors qu'elle aurait pu rester au lit à regarder la télé toute la journée. C'est l'amitié, la vraie, celle qui résiste à l'éloignement et aux amoureux de quatrième zone. Après les salutations d'usage à mes ancêtres, nous nous sommes réfugiées dans ma chambre. Lola a regardé autour d'elle avec une grimace.

– C'est bizarre, cette couleur. Comment tu fais pour vivre là-dedans ? On dirait de la purée moisie.
Sublime Lola ! Fille sensible et pleine de cœur ! C'était si gentil de sa part que j'ai eu envie de pleurer. Mettez-vous dans la peau de Robinson Crusoé, le jour où il rencontre Vendredi. Le pauvre gars n'a vu personne pendant des siècles… et voilà qu'il tombe sur un type à qui parler !

Chaque fois que je suis un Robinson seul au monde, Lola est mon Vendredi.

Dans mes bras, compréhensif Vendredi !

– C'est ignoble, « purée moisie ». Moi, je dis « rose saumon ».

– « Rose saumon » ? C'est pire !

Il a fallu discuter pour savoir ce qui était le pire du pire, le rose saumon ou le moisi purée. À la fin des débats, nous avons voté à l'unanimité : comparé à « rose saumon » qui est vraiment gras et immonde, « purée moisie » est presque mignon. Le père de Lola oublie souvent la vaisselle dans l'évier. Quand il a laissé la purée pendant quinze jours, elle devient rose. C'est scientifique. J'ai au moins appris une chose aujourd'hui. Merci, cher vieux père de Lola ! Ce n'est pas chez mes parents conjugaux et hygiénistes qu'on ferait des expériences sur la purée. Franchement, si mes parents avaient été Pasteur, je serais déjà morte de la rage. Mes parents sont des ennemis de la science.

– Purée moisie, c'est un traitement inhumain, a constaté Lola. Tu la fais quand, cette fugue ? J'ai besoin de le savoir un peu à l'avance, pour m'organiser.

14 novembre

Je me demande si la vraie fugueuse doit sécher le collège. Je n'ai pas de réponse.

Pourtant, j'y ai réfléchi toute la journée.

– Eh bien, Aurore, on rêve ? m'a lancé Ancelin à la fin du cours de maths.

Comme on était à cinq minutes de la sonnerie, je lui ai répondu franchement. D'abord parce que je préfère dire la vérité. Ensuite parce qu'un prof sain d'esprit ne vire pas un élève à cinq minutes de la sonnerie.

– Oui, madame.

– Dehors, a fait Ancelin.

J'aurais lui dû dire qu'elle était dingue. Mais j'étais trop occupée à ramasser mes affaires. Je ne peux pas tout faire en même temps.

Une fois dehors, je suis restée scotchée à la porte de la classe, bien collée entre deux portemanteaux. La rebelle invisible. Le vrai truc, c'est d'arriver à échapper au proviseur sadique qui hante les couloirs de cet établissement.

À la sonnerie, les nains malfaisants qu'on appelle mes camarades de classe sont sortis en me lançant des regards torves (je ne sais jamais s'ils me détestent ou si je leur fais peur, les deux je suppose).

Comme j'allais les suivre, Ancelin m'a attrapée par le bras.

– Qu'est-ce qui se passe, Aurore ?

Drôle de question pour un prof, non?

– Rien, madame.

Elle a fait comme si c'était une vraie réponse et elle m'a regardée tellement longtemps que j'ai cru que j'allais m'évanouir sur place. Au bout de cent ans, elle a dit:

– C'est le redoublement qui te rend malheureuse?

– Non, madame.

Elle m'a encore examinée d'un œil inquisiteur, comme si j'étais un machin extraterrestre ou un truc d'art contemporain.

Elle a dû voir que j'étais très mal, genre toute rouge ou toute blanche, parce qu'elle m'a lâché le bras. J'ai détalé vite fait.

Malheureuse. C'est quand même super bizarre comme question. Surtout de la part d'un prof. Ancelin est dinguissime, c'est clair. Et pourvu qu'elle arrête de me regarder. Ça me flingue.

14 novembre, plus tard

– Alors, ma chérie, tu rêves?

Citation de ma grand-mère américanophobe, pas plus tard que ce soir à table. Ils se doutent de quelque chose ou quoi?

15 novembre

J'ai l'impression que les gens lisent dans mes pensées. Mon crâne est peut-être devenu transparent. Je n'ose même plus réfléchir, des fois que je leur donnerais des informations sur ma fugue. Pour me défendre, j'essaie de ne penser à rien. Bizarrement, c'est plus dur de ne penser à rien que de penser à quelque chose. Le rien est supérieur. Je m'en suis toujours doutée.

16 novembre

Soit je regarde la télé non stop. Soit je me mets au boulot non stop. Une fille qui est incapable de tomber amoureuse n'a pas d'autre moyen d'arrêter de penser. Aujourd'hui, c'était plutôt la télé.

D'abord, je suis tombée sur une émission de parlote. L'animateur fait venir des gens atroces et il leur pose des questions atroces devant un public atroce, c'est le principe et tout le monde est content. Merveilles de la télé.

Aujourd'hui, c'était un homme et deux femmes (une jeune et une vieille), sexy comme des hyènes dans un zoo. Il ne manquait que la cage et les barreaux. Je résume le débat. Le type dit qu'il est amoureux de la jeune et qu'il couche avec la vieille (qui est la mère de la jeune). La femme jeune dit qu'elle n'est pas contente que son type couche avec sa mère et elle traite sa mère de tous les noms. La femme vieille dit qu'elle trouve ça marrant de coucher avec le type de sa fille et elle traite sa fille de tous les noms. Pour finir, tous les trois se crient dessus en se traitant de tous les noms et les gens applaudissent en criant.

Le truc passe juste avant l'heure du dîner. J'ai pensé que j'avais de la chance de ne pas avoir de petit frère. Je n'aurais pas été très contente qu'on regarde ensemble. J'aurais préféré qu'il boive un vieux biberon Canards Mutants dans sa chambre en lisant *Babar*. Par chance, je n'étais qu'avec mon vieux Papi sourdingue. Il ronflait doucement dans son fauteuil.

Quand je regarde la télé, je me demande pourquoi les gens couchent ensemble. Soit c'est galérissime, soit c'est minablissime. Je ne vois pas bien l'intérêt. Ils feraient mieux de s'en passer.

Peut-être qu'une championne du monde de la non-histoire d'amour peut se dispenser de coucher. D'un côté, l'avantage : elle évite une vie de galérienne. D'un autre côté, l'inconvénient : elle renonce à passer à la télé. Coucher un jour ou jamais, c'est mon cruel dilemme.

Après, on a eu le journal. En gros, c'est toujours la guerre ici ou là. Les gens explosés ont l'air explosés partout pareil. On dirait que c'est toujours les mêmes. Il faut faire un effort pour penser que ce sont chaque fois des gens différents, des explosions différentes, du sang différent et des personnes différentes qui crient tout autour.

Je confirme par ailleurs que la banquise n'en a plus pour longtemps. C'est la nouvelle annonce de la nouvelle conférence internationale sur les vieux icebergs, le climat et tout le bazar. Que vont devenir les pingouins ?

Si j'avais eu un petit frère, j'aurais arrêté la télé.

Tout mais pas les pingouins. Pauvres pingouins.

Je suis très déprimée.

Un biberon et dodo.

19 novembre

Visite hebdomadaire à mes parents biologiques. Zéro argent de poche. Zéro conversation. Visiblement, les pingouins n'intéressent personne.

22 novembre

Ancelin, le retour. Ma parole, elle me persécute. Cette fois, elle m'a coincée au début du cours.

– Tu ne fais rien, tu dors les yeux ouverts. Ça ne peut pas durer comme ça.

J'étais sous le choc. On n'a pas idée de se jeter sur ses élèves le matin, quand ils sont encore à moitié endormis. Ce n'est pas loyal.

– Je veux voir tes parents.

– Ça va être compliqué. Vous ne voulez pas plutôt voir mes grands-parents ?

– Qu'est-ce qu'ils viennent faire là-dedans, tes grands-parents ?

– J'habite chez eux depuis que mes parents m'ont virée.

– Quoi ?

J'en ai pris pour dix bonnes minutes de regard qui tue.

– Dans ce cas, demande à ta grand-mère de passer me voir. Le plus tôt sera le mieux.

Il faut absolument que j'appelle Lola. L'option fugue est plus que jamais à l'ordre du jour.

23 novembre

J'ai attendu que mes ancêtres soient couchés. Je me suis glissée sur la pointe des pieds dans leur salle de séjour. J'ai décroché leur téléphone antique sous un coussin pour étouffer les bruits… Quelle misère. Pas de portable et même pas d'argent de poche pour acheter une carte. Je suis la fille qui vit en plein Moyen Âge. Il ne me manque que les sabots et la gale.

Heureusement que le père de Lola se couche quand les autres se lèvent. Il adore faire un brin de causette à une heure du matin. Je peux appeler toute la nuit (mais jamais le matin avant midi). «Je t'embrasse, ma grande, et je te passe Lola», voilà ce qu'il dit, et c'est formidable même si l'idée d'embrasser en pleine nuit un type qui a au moins quarante ans est plutôt flippante.

– Ma prof de maths veut voir ma grand-mère. Où je peux me planquer?

– Tu n'as qu'à t'installer chez moi, a dit Lola.

– En cinq minutes, tout le monde aura deviné où je suis. Ça s'appelle un déménagement. Pas une fugue.

– Je te cacherai dans la chambre de bonne au sixième étage.

– Et ton père?

– On ne lui dit rien.

– Et le collège? Il faut que je sèche le collège?

– Peut-être pas. Ça va déjà être assez chaud avec ta famille...

– Mais pour me retrouver, ils n'auront qu'à m'attendre à la sortie des cours !

J'ai entendu Lola réfléchir. C'est facile. Elle souffle par le nez quand elle réfléchit.

– Tu n'as qu'à fuguer pendant les vacances.

– Je ne vais pas attendre l'été !

– Les vacances de Noël, banane !

– Et en attendant ?

– Tu prépares tes revendications.

– Et la rencontre profs-grands-parents ?

– Laisse tomber. Qu'est-ce que tu veux qu'il t'arrive de plus ? Tu es déjà dans le caca jusqu'au cou. Bon, maintenant, on peut aller se coucher ?

Je n'ai pas insisté. M'entendre dire que j'étais dans le caca m'avait flanqué un coup sur la tête. Ce n'est pas du tout pareil de savoir les choses et de se les entendre dire. Surtout au milieu de la nuit sous le coussin d'un canapé.

Saleté de téléphone. Il ne fait pas seulement du bruit quand on décroche, il en fait aussi quand on raccroche. Heureusement que mes ancêtres ont le tympan en béton armé.

25 novembre

Ça se précipite.

Ancelin rencontre Mamie le 2 décembre. Je me demande qui va gagner. Je parie ma note de téléphone sur Mamie.

28 novembre

Cette liste de revendications, c'est du boulot. Il faut faire des propositions concrètes. Le problème, c'est qu'à part sauver les pingouins je n'ai pas vraiment d'idée. Qu'est-ce que je pourrais bien demander ? Encore heureux que j'aie presque un mois pour me préparer. Lola a raison : fuguer, c'est surtout une question d'organisation.

DÉCEMBRE
Le problème avec Lola

1er décembre

C'est demain. Mon ancêtre phobique a rendez-vous avec mon enseignante illuminée. Pour parler de moi, ma vie, mon œuvre. Je suis victime de harcèlement scolaire. Le seul harcèlement au monde contre lequel on ne peut pas porter plainte.

2 décembre

C'était aujourd'hui. Je suis rentrée du collège sur la pointe des pieds. J'ai rangé ma chambre.

Après, j'ai essayé de nettoyer la cuisine, mais une grand-mère retraitée ne laisse aucune chance à l'amateur de ménage. Elle passe la journée à traquer la moindre petite poussière et, quand elle l'a trouvée, elle lui fait sa fête. Je ne savais plus comment me rendre aimable, alors j'ai fait un thé à mon vieux Papi.

– C'est très gentil, mon chéri, m'a-t-il dit, mais tu sais bien que je n'en bois pas, ça m'empêche de dormir.

Quelle blague. Il n'est pas né, le thé qui l'empêchera de dormir.

J'étais à bout de nerfs et d'initiatives imbéciles quand ma grand-mère est rentrée de l'école. Elle était habillée comme un dimanche, chemisier à froufrous, frisure fraîchement restaurée et maquillage de gala. Je me demande ce que pense le dalaï-lama de ce genre de débauche. Pas beaucoup de bien, à mon avis. Enfin bref, j'attendais terriblement qu'elle me dise quelque chose. Mais rien.

Mon ancêtre cause face à face avec ma prof de maths et elle ne me dit rien. Elle fait celle qui n'a rencontré personne. Elle tourne dans sa cuisine. Si elle espère que je vais lui poser des questions, elle se fourre le coude dans l'œil. J'ai mon honneur. Je préfère encore réviser ma géo.

On fait le Japon. C'est dingue tout ce qu'il faut savoir. Tout ça pour trois îles de rien du tout. Je suppose que c'est ça, le miracle japonais : un tout petit machin et des tonnes de trucs à apprendre.

3 décembre

Début de week-end. Télé à fond et chantonnements divers. Visiblement, c'est la stratégie du bouche cousue. Mais qu'est-ce qu'elles ont bien pu se raconter ?

4 décembre

– Tu as vu Ancelin, pour finir? (ton dégagé, pop pom pom)

– Oui, vendredi. Je croyais que tu étais au courant. (sourire bonasse)

– OK, OK, j'étais au courant. (légèrement tendue.)

– ... (silence, elle regarde autour d'elle comme si elle cherchait quelque chose à épousseter, je crois que je vais la tuer)

– ET ALORS? (hurlement incontrôlé, dérapage dans les aigus)

– Alors, tu as de la chance d'avoir un professeur de cette qualité. Elle t'aime beaucoup. (regard triomphant, elle l'emporte, je suis à terre)

L'amour, toujours l'amour. Venant de mon ancêtre, la chose ne me surprend pas. Venant de ma prof de maths, la situation est grave. Hélas, je n'ai pas le temps d'y réfléchir, c'est l'heure de notre déjeuner hebdomadaire et silencieux chez mes parents biologiques. Franchement, ce repas familial, c'est toujours un mauvais moment.

Un jour, il faudra bien que j'y rentre, dans mon foyer biologique. Je me demande si je vais me réacclimater. Tout le monde n'y arrive pas. Les gorilles, par exemple. Une fois qu'ils sont déshabitués de la forêt, c'est fini. Remettez-les dans la nature et c'est le désastre. Quand je pense à mon avenir, j'ai le vertige.

7 décembre

Lola m'a appelée deux fois. Elle attend ma liste de revendications. Je n'ose pas lui dire que je veux bien revendiquer, mais que je ne sais pas quoi, vu que je n'ai pas une folle envie de rentrer dans mon milieu naturel. Je crains l'effet gorille. La vérité, c'est que je me suis bien habituée au thé et au pain grillé. On ne va pas me changer de biotope tous les quatre matins.

Sans blague, je ne sais pas si la fugue vaut vraiment le coup. Plus il fait froid dehors, moins j'ai envie de me claquer dans une chambre de bonne pas chauffée, avec une lampe de poche et un sachet de chips. Le pire, c'est que je n'ai qu'une seule raison de fuguer, et c'est Lola. Elle en a fait une affaire personnelle. Cette fille rêve d'aventures. Elle se projette à mort. Pourquoi est-ce qu'elle ne s'intéresse pas à sa vie à elle ? Pourquoi faut-il que ça tombe sur moi ?

Elle a pourtant une existence géniale. Comparée à la mienne, c'est Hollywood et Saint-Tropez réunis. Non seulement ses parents sont divorcés, non seulement elle peut téléphoner à son père en pleine nuit, mais en plus elle a un petit ami dont elle n'a pas encore mesuré la capacité d'ennui.

Sacré Marceau ! Réveille-toi, mon vieux. Je me demande ce que tu fabriques. Tu lui tiens la main, je suppose.

10 décembre

« Chers parents, chers grands-parents et toute autre personne concernée par mon sort, comme vous le constatez, j'ai fait une fugue. Inutile de me chercher, je suis carrément introuvable. Ci-joint mes revendications :

– un téléphone portable et deux cartes d'avance ;

– de l'argent pour acheter de quoi repeindre ma chambre (je veux bien faire les travaux moi-même) ;

– des chèques pour Noël, même petits. Pas de cadeaux ;

– fin des vacances en famille ;

– pas d'obligation d'assister au déjeuner du dimanche.

Déposer votre réponse dans la boîte aux lettres de Lola. Merci. »

12 décembre

Lola passe sa vie à me critiquer. Elle m'énerve.

– Le téléphone portable, c'est mesquin.

– Peut-être, mais j'en ai besoin.

– Comme tu veux. C'est ta fugue, après tout. Mais je peux te demander un truc ?

– Vas-y.

– Pourquoi tu ne demandes pas à revenir chez tes parents ? Ils t'ont chassée, tu veux rentrer. Au départ, c'est quand même ça, l'idée de la fugue.

– Attends... c'est TA revendication. Tu n'as qu'à fuguer toi-même si tu veux tellement que je rentre.

Le problème avec Lola, c'est qu'elle n'a pas le sens de l'humour. Pas pour ce qui la touche en tout cas.

– Débrouille-toi toute seule. Je ne vois pas pourquoi je perds mon temps à essayer d'aider une fille qui se fiche complètement de ce que je fais pour elle...

Mettez-vous à ma place. Je n'ai plus de famille, je redouble, je suis victime de l'attention maniaque de mon prof principal, je n'ai pas de petit ami (et aucune intention d'en chercher un), mes seuls soutiens dans l'existence sont un grand-père hypersomniaque et une grand-mère bouddhiste... Autant dire qu'une fille dans ma situation ne peut pas se permettre de ne pas fuguer sous le prétexte minable que ça ne sert rigoureusement à rien. Car elle a intérêt à garder sa meilleure amie. Et si le seul moyen, c'est de fuguer... Eh bien, elle fugue!

– Excuse-moi. Je ne voulais pas te blesser. Je n'ai pas très envie de revenir chez mes parents mais je vais fuguer quand même. J'adore fuguer. C'est l'activité que je préfère au monde.

– On va bien rigoler, tu vas voir, a dit Lola en me regardant avec des yeux brillants (la reconnaissance? l'émotion? la fièvre?).

N'empêche que l'objectif était atteint. Elle est partie de chez moi complètement réconciliée.

C'est fou ce qu'il faut faire pour garder ses amis. «J'adore fuguer.» «C'est l'activité que je préfère au monde.» Mais qu'est-ce que je raconte? Je suis en train de perdre la boule ou quoi?

13 décembre

L'idéal, ce serait de fuguer le soir de Noël. Au moins, ça règle la question des cadeaux.

13 décembre, plus tard

Quelle poisse! Je me suis fourrée dans un affreux pétrin. Imaginons que cette histoire de fugue marche, tout ce que je risque de gagner, c'est de me retrouver dare-dare dans ma vieille chambre. Retour à la vie d'avant, et en plus je serai obligée d'être CONTENTE.

Plus j'y réfléchis, plus j'aime mes deux petits vieux. Personne n'a intérêt à échanger deux ancêtres pacifiques contre deux sœurs concurrentes. Et je ne parle même pas de deux parents biologiques.

Et si je fuguais pour rester chez eux?

14 décembre

À condition de préparer mes affaires discrètement à l'avance et de guetter la sonnerie, j'arrive à m'enfuir de la salle avant qu'Ancelin me mette le grappin dessus. J'ai atrocement peur qu'elle me fasse la conversation. J'ai atrocement peur qu'elle me parle d'amour. Laissez-moi être nulle en paix. Laissez-moi gâcher mon avenir toute seule. Ne m'aimez pas. Pitié.

15 décembre

Demain, vacances. Dans dix jours, Noël. Entre deux, fugue. Je suis un peu stressée. Surcharge d'emploi du temps.

16 décembre

Encore battue.

Ancelin m'a chopée AVANT la sonnerie. Elle s'est collée à mon bureau. Elle a posé la main sur mon épaule. À moins de déclencher des affrontements physiques (bousculade, coups, cris, etc.), impossible de s'enfuir. Tous les cancrelats ont filé en couinant vers les vacances. Je suis restée. J'avais envie de pleurer.

– Aurore, a dit Ancelin.

– C'est moi, ai-je répondu.

– J'ai parlé à ta grand-mère.

– Je sais.

– Elle t'aime beaucoup.

– Je sais.

– Moi aussi, j'ai de l'affection pour toi.

– …

– Tu sais tout, c'est merveilleux. Maintenant, écoute-moi. Je t'offre un cours de rattrapage, toutes les semaines, au collège. En échange, tu t'engages à faire des exercices chez toi. Si ta moyenne augmente, on continue et je te promets que tu seras bonne en maths. Si on n'arrive à rien, je te fiche la paix et tu peux roupiller au fond de la classe jusqu'à la fin de l'année. Qu'est-ce que tu en penses ?

Une prof qui travaille gratuitement pour une élève redoublante, nulle et même pas aimable.

Qu'est-ce que vous voulez penser d'un truc pareil ?
J'ai répondu direct.

– Vous êtes complètement dingue.

– C'est oui ou non ?

J'ai regardé la porte fixement. Et j'ai répondu :

– Oui. Je peux partir maintenant ?

17 décembre

Mes grands-parents ont reçu mon bulletin ce matin. Mamie me l'a montré avant de partir faire ses courses. Rien de très neuf. Je suis en dessous du niveau de la mer. En prime, j'ai un avertissement.

– Le mieux, c'est que tu en parles toi-même à tes parents, a suggéré Mamie.

– Tu ne m'attrapes même pas ?

– Pour quoi faire ? Je ne suis pas ta mère.

– Alors Papi... Il ne devrait pas me menacer, Papi ?

– Mais pourquoi veux-tu qu'on crie ou qu'on te menace ? a demandé Mamie avec son éternel sourire de lama. C'est ton bulletin, ma chérie. Pas le nôtre.

Là-dessus, elle a pris son panier et elle est sortie. Complètement démissionnaire, si je suis autorisée à avoir un avis.

Je ne suis pas persuadée qu'il faut que j'en parle à mes parents. C'est idiot de leur gâcher les fêtes avec de mauvaises nouvelles.

Lola m'a appelée. Elle veut que je fugue dimanche.

– C'est plus pratique. Tu seras dans l'immeuble. Après le déjeuner, tu sors discrètement, tu sonnes discrètement chez moi et je te cache discrètement au sixième.

J'aurais pu essayer de me défendre une dernière fois. Mais j'étais très abattue par mon bulletin. À un certain stade de nullité, on perd toute confiance.

– D'accord. Mais quand même, il faut que je te dise... Si j'avais pu faire autrement, j'aurais fait autrement.

– Je ne comprends rien à ce que tu racontes.

Misère. Il fait moins cinquante dehors. Je vais finir gelée dans sa chambre de bonne pourrie.

– N'oublie pas ta liste de revendications, a fait Lola d'un ton de commandante en chef, et elle a raccroché.

Cette fugue, ça lui monte à la tête.

18 décembre

Normalement, cette page ne devrait pas exister.

Normalement, je devrais être en train de regarder mes doigts devenir tout bleus au bout de mes mains. Je devrais être privée de chaleur, de lumière, de nourriture, de télé, de radio, d'eau et de toilettes. Je devrais attendre en claquant des dents que ma famille aux abois m'achète un téléphone portable. Mais pas du tout. Je suis propre, vivante et au chaud. Merci mon Dieu.

D'abord, j'ai déjeuné. C'était sympa. Curieusement, tout le monde avait des trucs à dire. Jessica a proposé la trêve des cadeaux de Noël. Sophie était d'accord pour ne pas en recevoir. Maman a dit qu'elle signerait des chèques, elle n'a pas le temps de courir les magasins. L'ambiance était bonne, personne ne m'a posé de questions sur mon bulletin et j'ai raconté l'histoire d'Ancelin et sa proposition de dingue. Ils m'écoutaient, ils avaient même l'air intéressé. J'avais un peu mal au cœur de leur faire le coup de la fugue après ça. Pour une fois qu'on m'écoute.

Mais Lola m'attendait. J'ai donc scotché ma liste sur le téléphone et j'ai filé. Elle trépignait sur le pas de sa porte. Elle m'a conduite illico au sixième étage, couloir crasseux des chambres de bonne, tout au fond. Elle a ouvert une vieille porte avec une vieille clé grinçante et m'a poussée dans un débarras grand comme une armoire. Il y avait: une fenêtre minuscule au plafond, un matelas tout gris par terre, une couverture rose saumon dessus, une lampe de poche genre camping, un paquet de chips à l'ancienne, un vieux magazine pour filles qui disait: «Le sexe en été, un plaisir ou une obligation?» Et pas de place pour autre chose.

– OK. Pas question que je reste là-dedans plus de deux minutes.

– Tu déconnes, a dit Lola. J'ai tout organisé.

– Tant pis. Je préfère mourir dans ma chambre rose saumon que dormir une seule nuit sous la couverture de la même couleur.

– C'est la dernière fois que je t'aide, a menacé Lola.

– Parfait. Ne m'aide plus jamais. Surtout.

J'ai dégringolé l'escalier, j'ai traversé la cour et j'ai sonné comme une perdue à la porte de l'appartement de mes parents biologiques. Je suis sans doute fâchée à mort avec Lola. Mais ce n'est pas le pire. Le pire, c'est que, pendant mon quart d'heure de fugue, Mamie a trouvé ma liste de revendications. Elle l'a déscotchée du téléphone et elle se demandait visiblement ce qu'elle allait en faire quand je suis rentrée...

– Tu vois, maman ? lui a dit ma mère. Ce n'était pas la peine de t'inquiéter. La voilà, ta petite-fille chérie.

– Ma petite-fille chérie, a répété Mamie en chiffonnant discrètement la liste. Quelle bonne surprise… Alors, comme ça, tu veux repeindre ta chambre ?

– Comment tu as deviné ? Tu es magicienne ou quoi ?

– Magicienne, sûrement. Tu préfères la peinture ou le papier peint ?

19 décembre

Aucune nouvelle de Lola. Je suppute que je vais passer mes vacances sans meilleure amie. Joyeux Noël.

20 décembre

Mamie est allée voir le dalaï-lama à Bercy. Elle m'a invitée. J'ai décliné. Je ne suis pas dingue, moi. Du coup, Papi, m'a emmenée au cinéma. Il n'y avait pas le choix. C'était *Harry Potter* ou rien. Donc, ça a été *Harry Potter*. La vraie information, c'est que le gars a grandi d'un an. Qu'est-ce qu'ils lui donnent à manger ? On dirait qu'il a muté. Quand je pense qu'il était si mignon quand il était petit… Personne ne devrait grandir. C'est trop moche.

Après les festivités, Mamie était toute contente et j'étais complètement déprimée.

– Je ne veux pas grandir. Est-ce qu'il y a un moyen d'arrêter le truc ?

– Qu'est-ce que tu me dis, ma chérie ? C'est si beau d'avancer sur le chemin de la vie…

Je ne vois même pas pourquoi je lui parle. Elle ne comprend rien à rien.

Quand il dort au cinéma, Papi ne ronfle pas. Il incline légèrement le menton sur sa poitrine et il respire très doucement. C'est la télé qui le fait ronfler.

21 décembre

J'ai passé toute la journée à fabriquer des décorations de Noël. Le cauchemar type : claquemurée avec son aïeule à tresser des étoiles en paille pendant des heures. J'ai fait des efforts surhumains pour me sentir désespérée. Mais, mystère de la vie familiale, je ne pouvais pas m'empêcher d'être contente. Elle m'a raconté des histoires de quand elle était petite et que c'était la guerre. Je n'avais jamais pensé que ma grand-mère avait été une petite fille.

Après, elle est allée chercher de vieilles photos que Papi a regardées avec nous. Pour le goûter, j'ai fait du thé et Mamie a sorti les madeleines. C'était tellement bien que Papi a oublié qu'il ne buvait pas de thé. Sa nuit est fichue, pauvre gars.

Quelquefois, j'adore ma vie chez mes geôliers. Il paraît que c'est normal. Les prisonniers tombent toujours super amoureux de leurs gardiens, ça s'appelle le syndrome de Stockholm, il y a des films là-dessus.

Je suis stockholmisée. La preuve : si Lola débarquait pour me délivrer, je la chasserais à coups de bâton.

Je les aime. C'est maladif mais c'est comme ça.

25 décembre

C'est marrant, un Noël sans cadeaux. Ou plutôt : avec chèques et presque sans cadeaux. Sophie avait bricolé d'affreux petits pendentifs en émail qu'elle a cuits dans le four de Maman. Tout le monde lui a dit merci mais, à part Mamie, je ne vois pas qui aura le courage de les porter.

Mamie justement. Elle avait préparé une petite surprise tout à fait dans son genre. Elle a fouillé dans ses vieilles affaires et déniché un objet pour chacun.

À Maman, elle a offert une bague. Quand elle l'a mise à son doigt, j'ai cru que pauvre mère allait se mettre à fondre en larmes. Dans le genre cadeau qui fait pleurer, on peut parler d'un triomphe.

À Papa, elle a donné un briquet en or contre la promesse qu'il n'allumerait plus de cigarettes. C'était aussi bête que de donner de l'héroïne à un héroïnomane en lui demandant de la garder à jamais dans son tiroir à chaussettes. Le véritable cadeau qui ne sert à rien. Mon père a promis et il empoché le briquet. Pauvre vieux toxico.

Pour Sophie, c'était une boîte en bois peint pour classer les trucs que ce genre de fille adore classer, vieux bouts de papier griffonnés et autres feutres fluo pour surligner. Pour Jessica, elle a retrouvé une chemise de nuit ancienne, avec des broderies sur les bretelles. Une boîte et une nuisette : double preuve que, contre toute apparence, cette vieille Mamie a été jeune autrefois. Et mieux, c'est probable, adolescente.

Dans sa bonté, elle a même pensé à l'affreux type du 14 Juillet. Elle s'est fendue d'un cadeau neuf (enfin, j'espère). Elle lui a acheté une boîte de pâtes de fruits. Comme s'il n'était pas déjà assez gros.

– Tu l'offriras à ton ami, a-t-elle dit à Jessica, qui lui a souri avec tellement d'enthousiasme que le clou de sa langue scintillait de mille feux dans la lumière des bougies.

Et pour moi, dans un cadre, une toute petite peinture qui représente un jardin plein de fleurs en été.

Nous étions tous si contents que plus personne n'arrivait à faire la conversation. J'ai essayé de trouver quelque chose de désagréable à dire pour détendre l'ambiance. Mais j'étais ramollie par mon jardin en été. Il était si réussi que j'avais l'impression de m'y être déjà promenée et d'en avoir gardé le souvenir. J'avais sans cesse envie de le regarder.

– Et Papi ? Le Père Noël l'a oublié ?

C'est tout ce que j'ai trouvé. C'était nul. Mamie en a profité pour lui tendre un paquet emballé.

– Je les ai fait refaire, a-t-elle dit en le regardant dans les yeux.

Dans le paquet, il a trouvé les deux parfums qu'ils portaient quand ils se sont rencontrés.

– Ma femme est magicienne, a dit Papi en ôtant doucement le bouchon du premier flacon.

C'était un peu gonflé de sa part. J'ai protesté.

– Excuse-moi, mais tu me l'as piquée, celle-là. Magicienne, je l'ai faite avant toi.

– Ne te fatigue pas, ma chérie. De toute façon, je n'entends rien.

C'était ma dernière tentative. Ensuite, je n'ai plus fait aucun effort. Je me suis laissée couler à pic dans la mollesse générale. Appelez ça le bonheur si vous voulez. C'est Noël après tout.

JANVIER
La guerre en famille

1er janvier

C'est dingue, ce qu'on change en un an. Harry Potter, mon frère, tu n'es pas seul au monde ! Moi aussi, je mute. L'année dernière, j'étais une fille splendide et pleine d'illusions. Bien dans sa peau, à l'aise dans sa vie, heureuse en famille. Un an plus tard, je suis virée de chez moi. Fâchée avec ma meilleure copine. Lourdée par mes petits copains. Harcelée par ma prof de maths. Rose saumonisée par mes grands-parents. Totale désabusée.

Fêtes de fin d'année, je vous maudis. Tout ce qu'on y gagne, c'est la gueule de bois.

2 janvier

Le Père Noël m'a parachuté un téléphone portable. Il s'est cotisé à mort. Merci, chèques magiques. Gracias, Père Noël. Et comme un bonheur ne vient jamais seul, Mamie m'a filé de l'argent pour les cartes. Gratuitement.

– Pour tes étrennes, ma poussine.

Et hop, une enveloppe farcie d'un beau billet bleu. Dommage que je n'aie personne à appeler.

Elle m'a appelée «Poussine». «Poussine»? C'est grotesque.

3 janvier
Rentrée des classes. On ne devrait pas laisser les gosses si longtemps en vacances. Ce truc de Noël, ça les détruit. L'assemblée des cancrelats avait des cernes bleus sous les yeux. Avec leur peau livide, ils faisaient un très bel effet sous les néons. Ce collège, c'est *Poltergeist* dès huit heures du matin.

Je laisse mon téléphone allumé dans mon sac pendant les cours. Je ne crains rien. C'est l'avantage des sans amis. Ils n'ont personne pour les déranger.
Des fois, j'ai envie de m'appeler moi-même.

4 janvier
Ancelin m'a chopée au début de l'heure (la nouvelle tactique). Elle me prend en cours particulier demain soir. C'est tout à fait comme une colle, sauf que cette fois je n'ai rien fait de mal.

– Ne fais pas cette tête, a-t-elle dit. Ce n'est pas une punition, c'est un privilège.

– Vous voulez mon numéro de portable?

Ce soir, trois personnes au monde possèdent mon numéro: ma mère, ma grand-mère, ma prof de maths. Je pourrais me dire que c'est un début. Mais le début de quoi ? J'ai du mal à imaginer la suite. Mes sœurs ? La directrice ?

5 janvier

Pas la peine de se faire des idées. Le cours particulier de maths n'a rien de particulier. C'est un cours de maths. Sauf qu'on est toute seule contre le prof. Impossible d'essayer de penser à autre chose pendant cinq minutes. Elle est là, assise juste à côté, à regarder ce que vous écrivez en même temps que vous l'écrivez. Le stress mortel. Ils font des stages comme ça dans l'armée américaine. Des entraînements super durs pour tester la résistance. Je l'ai vu à la télé, dans un film. Ou aux infos. Je ne sais plus.

À la fin des trois quarts d'heure, j'étais épuisée, à bout de souffle et en nage. Ancelin m'a regardée avec un sourire intraitable.

– Tu vois que tu peux y arriver, quand tu te concentres…

J'ai assuré un effort physique dément pour lui sourire aussi (au lieu de m'effondrer au sol comme un soldat rompu).

– J'ai tout donné. Je ne sais pas si je pourrais le refaire éternellement.

Voilà ce que j'ai répondu. Puis, pour qu'elle m'oublie, j'ai fait semblant de vouloir envoyer un texto à quelqu'un.

– Éternellement, a répété Ancelin pendant que je tapotais comme une furie sur mon clavier, il ne faut peut-être pas exagérer. Je n'aurais pas la patience.

Là-dessus, elle est partie. Cette prof vient de me donner un cours de maths, et elle rêve déjà de me laisser tomber. J'ai la gale ou quoi ?

8 janvier

Bon, ils veulent me reprendre. Après Lola, mes parents. Ils se sont donné le mot pour me gâcher la vie ou quoi ?

Mon père l'a annoncé en apéritif au déjeuner dominical. Il a regardé Mamie droit dans sa nouvelle permanente (frisée batavia, l'erreur totale).

– Les trois mois sont passés. Je crois qu'il est temps qu'Aurore revienne. Elle va retrouver sa chambre et ses habitudes dans l'appartement de sa famille.

La permanente de Mamie a vaguement tremblé sur ses racines. Elle ne s'y attendait pas, c'est net. Mon père est complètement taré. À son âge, elle aurait pu faire une crise cardiaque. Elle a au moins soixante ans. Bref, elle était si choquée qu'elle n'a rien répondu. Même le fameux petit chantonnement lui est resté en travers de la gorge.

J'étais tellement traumatisée que je n'ai rien dit non plus. Je cherchais désespérément la phrase qui tue quand le secours est venu de là où on ne l'attendait pas.

– Vous auriez pu nous en parler avant de faire une annonce publique, a dit grand-père, qui d'un coup n'était plus si sourd que ça. Je ne tiens pas un chenil pour la SPA.

Il a vidé son verre de porto dans un silence énorme.

– Tu n'es plus sourd, Papi ? a demandé Sophie, qui a l'esprit scientifique et pas beaucoup de psychologie.

Il s'est levé pour se servir un autre verre de porto. Il n'a pas répondu.

– Vous avez accueilli gentiment Aurore cet automne, a finement ajouté maman, dans l'idée bien maternelle d'en remettre une couche. Il est temps qu'elle rentre chez ses parents. Je ne vois pas où est le problème.

– Tu ne vois pas ? a fait Papi. Si je suis sourd, ma petite fille, tu es aveugle.

Mon grand-père sourd était miraculé. D'une façon habile, il venait de me comparer à un chien abandonné et je ne savais pas encore comment je devais le prendre. Mon père était couleur framboise et j'ai pensé qu'il allait se la faire, la crise cardiaque. Les yeux de ma mère sont devenus tout globuleux à cause des larmes qui n'allaient pas tarder à jaillir en geysers. Sophie ne comprenait rien et Jessica ne s'intéressait à rien. Total, l'ambiance était formidable. Nous allions probablement passer au massacre inter-familial à coups de fourchettes à dessert quand on a sonné à la porte.

– Qu'est-ce que c'est, ENCORE ? a rugi mon père.

– Je crois que c'est Vladouch... a murmuré Jessica, et elle s'est précipitée vers la porte.

– Quoi VLADOUCH ? a hurlé mon père.

Tout le monde a tourné la tête, et on a vu, sur le pas de la porte, l'horrible type du 14 Juillet.

– Bonjour messieurs madame, a dit cet innocent de Vladouch, comme s'il arrivait dans une famille normale, un dimanche normal, à l'heure normale de l'apéritif.

Il aurait mieux fait de la fermer parce que tout le monde a clairement entendu qu'il avait un accent.

– QUI EST CE TYPE?

Le pauvre gars allait payer pour mon grand-père miraculé, c'était l'évidence même. Mais Jessica a fait un truc formidable. Elle est allée se coller sous le nez de mon père, elle lui a tiré sa langue à piercing (un machin en forme de pointe de lance) et elle a dit:

– Tu ne devrais parler comme ça à personne, et surtout pas à l'homme que j'aime.

Toujours sur son pas de porte, le Vladouch ouvrait des yeux effrayés, il ne comprenait rien à ce qui était en train de lui arriver, une vraie petite biche.

– Viens, Vladouch, on s'en va, a ordonné Jessica.

Elle a pris son sac, sa veste et son type, la porte a claqué, et hop, elle était partie. Ma sœur aînée est la spécialiste internationale du claquage de porte dominical.

J'en ai profité pour donner mon avis sur tout ça.

– Franchement, j'ai dit, merci bien, mais si c'est ça la vie de famille, je crois que je vais rester chez Mamie et Papi.

9 janvier

– Papi, pourquoi tu as parlé d'un chenil de la SPA?

– Quoi? Articule, on n'entend rien!

– TU PENSES QUE JE SUIS UN CHIEN ABANDONNÉ???

– (Il me regarde, il réfléchit, il hésite, il répond.) J'ai exagéré, ils ne t'ont pas vraiment abandonnée...

– MAIS JE M'EN FICHE, D'ÊTRE ABANDONNÉE! EST-CE QUE JE RESSEMBLE À UN CHIEN, OUI OU QUOI?

– (Il me regarde encore pendant deux mille ans.) À un lévrier, alors. Rapide mais un peu maigre. Tu devrais te nourrir plus sérieusement. Si tu veux réussir à attraper un homme un jour, bien sûr (il sourit, l'air ravi). C'est tout à fait ça, oui, un lévrier... Et si tu faisais de l'athlétisme?

Le miraculé est un sourd zoophile.

10 janvier

Demain, Mamie m'emmène acheter de la peinture pour ma chambre. J'hésite sur les couleurs. Orange et parme. Peut-être. Si je veux, je peux avoir les rideaux assortis.

– D'accord pour les rideaux, a dit Mamie. Mais pas tout de suite. En février, quand on aura fini les surfaces.

«Fini les surfaces», mots magiques et professionnels... J'emménage, les amis, j'emménage. Quand je pense que j'ai failli mourir congelée dans une chambre de bonne à demi moisie, je me dis que je m'en sors plutôt bien.

11 janvier

Juste avant de dormir, je me repasse le film de Jessica. Elle prend l'affreux type du 14 Juillet par le bras et elle balance à mon père cette réplique fameuse :

– Tu ne devrais parler comme ça à personne, et surtout pas à l'homme que j'aime.

Et elle sort de la pièce. Classieuse, talentueuse et fougueuse Jessica !

Dommage qu'il faille aimer un homme pour sortir ce genre de trucs à son père. Dommage aussi que Jessica fasse un BTS Action commerciale et pas une école de théâtre. J'espère qu'elle pourra dire des choses aussi belles à son futur patron chez Sephora :

– Vous ne devriez parler comme ça à personne… et surtout pas au vigile que j'aime !

Ou :

– … au caissier que j'aime !

Ou :

– … à la crème lissante anti-capitons que j'aime !

Quand je m'endors, j'ai tendance à penser n'importe quoi.

12 janvier

J'ai eu commando de maths. J'ai cru que j'allais mourir. Trois quarts d'heure d'exos sans rien à boire ni à manger. L'enfer sur terre.

– J'ai l'impression que ça va un peu mieux, a constaté l'intraitable Ancelin. Qu'est-ce que tu en penses ?

– Vous avez toujours mon numéro de portable ?

– Oui. Si tu dépasses dix au prochain contrôle, je t'appelle.

La politique de l'exploit. Typique.

13 janvier

Vendredi 13. J'ai attendu toute la journée qu'il se passe un truc vraiment terrible. Il est déjà vingt-deux heures trente et rien du tout. Sauf chute inopinée de météorites dans la nuit, c'est encore fichu pour cette fois.

15 janvier

C'est la brouille interfamiliale. Pas de déjeuner dominical. Chacun reste chez soi, et moi chez mes ancêtres. Mon grand-père est redevenu tout à fait sourd. Conclusion : mon père fait des miracles à durée déterminée.

16 janvier
Si je ne vais plus déjeuner le dimanche chez mes parents biologiques, je vais peut-être les oublier. Je serai une sorte d'orpheline amnésique adoptée par un couple vieillissant. Excuse, Papi : une sorte de lévrier amnésique adopté par un couple vieillissant.

17 janvier
Jessica a téléphoné à Mamie. Elle veut se marier avec Vladouch.

– Par chance, m'a dit Mamie, il semble que ce Vladouch a déjà une femme et deux enfants. Le temps qu'il divorce, elle aura changé d'amoureux.

Parfois, je pense que Mamie n'a pas de cœur. Jessica ne devrait pas faire ses confidences à n'importe qui.

Pour la peinture, j'ai pris parme et vert d'eau. Côté rideaux, je m'interroge encore.

19 janvier
Entraînement formidable. J'étais physiquement à bout, mais j'ai fait le maximum. Ancelin l'a remarqué. Elle m'a serré la main et elle m'a dit : « Fortiche ». Fortiche. Fortiche ?

Renseignements pris, ça veut dire « très fort ».

Mamie est spécialement fortiche pour tout ce vieux lexique un peu militaire. Elle n'a pas de cœur, mais elle a du vocabulaire.

22 janvier
Il y a de la réconciliation dans l'air. Mes parents sont venus prendre le thé chez mes ancêtres. Je suppose qu'ils ont négocié sec. Mais apparemment, personne n'a jugé utile de me mettre au courant.

Je les ai parfaitement reconnus. L'absence n'a pas détruit tout lien entre nous. Elle a même amélioré les relations. Je dois reconnaître que mon père s'est montré très aimable.

– Jolies couleurs, a-t-il dit quand je lui ai présenté mes pots de peinture.

Tout le monde savait qu'il n'en pensait pas un mot. Mais tout le monde a été content qu'il fasse l'effort de mentir.Papi était sourd, Mamie avait préparé de la charlotte aux poires (en boîte, les poires). Et personne n'a parlé de mon lieu d'habitation. Apparemment, c'est devenu le sujet tabou. Il faudra que je m'en souvienne pour une prochaine animation.

23 janvier
Fatalité. Il a sonné en plein cours d'histoire.

Mme Messeigner en a laissé tomber sa craie. Puis elle s'est jetée sur moi pour me le confisquer. Mais j'avais été plus rapide. J'avais eu le temps de lire le texto: «DOUZE. PAS MAL. ANCELIN.»

J'aurais bien répondu mais Messeigner m'a arraché l'appareil des mains.

– Eh, j'ai dit. Faites un peu gaffe. C'est un téléphone tout neuf.

Je suis virée d'histoire pour une semaine. Je me demande si on peut appeler ça une punition.

26 janvier

Je suis complètement endoctrinée. Ou complètement intoxiquée. Genre secte ou drogue, si quelqu'un voit ce que je veux dire.

Toute la journée, j'ai attendu le moment d'aller au cours particulier. Et quand il s'est terminé, j'ai regretté qu'il ne dure pas plus longtemps. Il faut croire que j'aime ça. Je suis la victime type. Si ça continue, je vais finir femme battue. Moi aussi, j'ai vu le film sur les violences familiales, hier, sur la Deux. Ou alors c'était aux infos. Allez savoir.

27 janvier

J'ai le numéro d'Ancelin dans la mémoire de mon

téléphone. Si je voulais, je pourrais l'appeler. C'est hallucinant.

29 janvier

Mamie a commencé le nettoyage de ma chambre avant travaux. Elle aurait pu me prévenir. Mais non, elle s'est précipitée avec son aspirateur et son chiffon pendant que j'étais au collège. Ce qui devait arriver est arrivé. Elle a trouvé le biberon Canards Mutants. Quand je suis rentrée en fin d'après-midi, il était propre et posé droit sur la table de nuit. Je la trouve un peu gonflée de laver mes affaires sans me demander la permission.

J'attendais le retour de la leçon sur la régression pour le dîner. Erreur. Je devrais pourtant la connaître… elle a fait comme si de rien n'était. La stratégie du Pas-Un-Mot. Mon biberon Canards Mutants vient de faire son entrée dans la vie officielle de notre petite communauté.

30 janvier

Mamie m'a acheté une nouvelle tétine.

– L'ancienne est un peu molle, a-t-elle dit en me tendant le sachet de la pharmacie.

– Merci, j'ai répondu. C'est cool.

Cette femme est folle. Ma brosse à dents est complètement usée et elle s'en fiche comme de sa première bouillie.

Tout ce qui l'intéresse désormais, c'est les biberons. Le biberon a l'aval des lamas, je présume.

FÉVRIER
L'univers parallèle

1er février

Les travaux de ma chambre ont commencé. J'ai déménagé dans le salon. Je dors sur le canapé. Mes affaires sont dans des caisses. Aujourd'hui, j'ai lavé les murs avec une grosse éponge molle et une vieille lessive puante. L'éponge fuit. J'avais de la coulure collante jusque sous les aisselles. Sexy. Samedi, je lave le plafond. J'ai déjà la peau des mains complètement desséchée (et je ne parle pas des aisselles). Je vais finir craquelée comme un crocodile. Cette histoire de peinture est en train de se retourner contre moi. Tout ce que je fais se retourne contre moi.

2 février

Ancelin était satisfaite à la fin de l'entraînement.

– Tu progresses vite. Tu seras bientôt capable de te débrouiller toute seule.

Je n'ai rien répondu. J'ai pensé que j'allais juste arrêter de travailler. Si c'est ce qu'elle veut, après tout, je ne vais pas la contrarier.

– Tu fais la tête? m'a demandé Ancelin.

– Ben oui. Je redeviens comme j'étais avant.

– C'est-à-dire ?

– Nulle, désagréable et fainéante.

3 février

– Aurore, a crié Papi. Téléphone !

Stupidement, j'ai pensé que ce vieux Julien venait de retrouver mon numéro. Pendant un court instant (très court), j'ai eu le cœur qui battait à cent à l'heure. On ne devrait jamais avoir le cœur qui bat à cent à l'heure. Tout ce qu'on y gagne, c'est d'avoir l'air bête.

– Aurore, a gémi Lola. C'est moi.

J'aurais été moins émue d'entendre Julien. Je croyais qu'elle ne voulait plus jamais me parler. Enfin… elle ne me parlait pas vraiment. Elle me soufflait dans l'oreille.

– Tu me manques.

Ça m'a sciée. Jamais un type ne m'a dit un truc pareil. D'un autre côté, jamais je n'ai dit un truc pareil à un type. D'un troisième côté, aucun type ne m'a jamais manqué.

– Je m'ennuie de toi.

– Arrête, j'ai dit. Tu me fais peur. Qu'est-ce qui se passe ?

– Rien, justement. Puisque je te dis que je m'ennuie.

– Tu n'as qu'à faire une fugue.

– Très drôle, a dit Lola. Quand est-ce qu'on se voit ?

Évidemment, quand j'habitais sur place, c'était plus simple. Il suffisait d'ouvrir la fenêtre et de se pencher un peu.

– Je déjeune dimanche chez mes parents.

– Alors dimanche ?

– Alors dimanche.

Je ne veux pas passer pour une fille atrocement sentimentale, mais j'étais assez contente en allant me coucher. Vivre sans amoureux, c'est possible. Sans amie, c'est moche.

4 février

Opération plafond. J'ai passé la journée à lessiver, debout sur un escabeau, le bras en l'air, l'éponge au-dessus de la tête. Des litres d'eau jaune puante m'ont dégouliné sur la figure, sans interruption, entre quatorze à dix-huit heures. Il paraît que le plafond est propre. C'est une hallucination grand-parentale. La vérité, c'est qu'il est couvert de traînées immondes.

– Tu es formidable, m'a dit Mamie.

– Oui, mais ce plafond, maintenant qu'il est lavé, je ne le peins pas. J'ai trop mal au dos. Tu peux me supplier à genoux, il va rester rose saumon, je te le jure.

Là-dessus, mon éponge s'est suicidée. Elle est tombée en plein sur la tête de Mamie.

– Ma permanente, a gémi mon ancêtre.

Je ne vois pas pourquoi elle s'en faisait. Elle porte assez bien l'éponge. Mieux que la permanente, en tout cas.

5 février

Déjeuner multiculturel chez mes parents biologiques. Apparemment, Jessica a remporté la première manche. Elle a réussi à faire inviter l'affreux type du 14 Juillet. Jamais vu personne manger autant. Je suppose que c'est pour dissimuler son accent. Tant qu'il a la bouche pleine, il ne peut pas parler. Dans un sens, c'était idiot de faire tellement d'efforts. Personne n'avait l'intention de lui adresser la parole. C'était le boycott général. Tout le monde parlait nerveusement à Sophie. Cette pauvre chose stupide s'est mise à croire qu'elle intéressait la terre entière. J'en avais tellement marre de l'entendre pérorer que j'ai décidé d'être polie avec l'invité. Je me suis tournée vers lui, et j'ai demandé en articulant soigneusement :

– À propos, comment vont votre femme et vos deux enfants ?

Ensuite, le déjeuner a passé très vite. Jessica m'a traitée de punaise, de tarte et de morpion. Morpion était de trop. Papa a demandé à Jessica de sortir de table. Comme elle pleurait, c'est moi qui suis sortie. De toute façon, je n'aime pas les desserts. Morpion peut-être, mais pas goinfre.

J'en ai profité pour aller sonner chez Lola. Quand elle m'a ouvert, elle avait les yeux tout rouges.

Elle m'a serrée dans ses bras comme si on ne s'était pas vues depuis des semaines. Dans un sens, elle pouvait. On ne s'était pas vues depuis des semaines.

– Tu me sauves la vie ! J'allais me jeter par la fenêtre.

– C'est idiot. Du deuxième étage, tu risques une fracture du pied. Au pire une entorse. Et au pire du pire, rien du tout.

– Je voudrais mourir, a dit Lola, et là-dessus elle a vaguement reniflé.

Je n'ai pas pris les choses au tragique. Pas mon genre. Je l'ai emmenée dans sa chambre. Je l'ai fait asseoir sur son lit. Elle s'est remise à couiner en se mouchant.

Le drame, c'est qu'elle en train de larguer son espèce de beau-frère. Pas de quoi pleurer tout l'après-midi. Voilà ce que j'ai essayé de lui expliquer devant un paquet de chips parfaitement mous et un Coca parfaitement sans bulles.

– Il s'en remettra. Toi aussi. Regarde ce qui m'est arrivé. Je suis sortie avec lui et c'est comme s'il ne s'était rien passé du tout.

– Oui, mais tu n'es pas obligée de le fréquenter. Moi, même si je le largue, il reste mon beau-frère.

C'est un argument. Un type qu'on largue, normalement on ne le voit plus. Fini. Débarrassé. Vacances. Youpi. Un beau-frère, c'est plus compliqué. Elle ne peut pas faire autrement que de continuer à le voir. Même s'il l'énerve à mourir. D'ailleurs, il l'énerve à mourir. Elle a le front couvert de boutons.

Ça lui apprendra à faire ses petits machins en famille. Tout le monde sait que la famille, c'est Over Interdit. On n'a pas inventé Œdipe pour rien. J'ai essayé de lui expliquer gentiment que c'était sa faute si elle se retrouvait dans le caca.

– Il faut être un peu tarée pour sortir avec son beau-frère, tu ne crois pas?

Comme elle recommençait à chouiner («Je sais bien que je suis dans le caca, mais ça me fait flipper que tu me le dises, etc.»), je lui ai fait des propositions pour reconstruire sa vie.

– Demande à ton père de rompre avec sa vieille petite amie (c'était la première).

– Va habiter chez tes grands-parents (c'était la deuxième).

– Monte dans ta chambre de bonne et saute (c'était la troisième).

Elle s'est essuyé les yeux et elle s'est mise à glousser. Après, on riait tellement qu'il est devenu impossible de discuter un peu sérieusement.

– Arrête de déconner, j'ai dit. J'ai un vrai truc à te proposer... J'ai besoin de quelqu'un pour peindre les murs, mercredi. Tu n'as qu'à venir chez moi.

– Chez toi?

– Chez mes grands-parents.

– Bonne idée. Je lui dirai que je ne peux pas le voir parce que je dois peindre chez toi.

Non seulement tu récupères ta copine, mais en prime elle repeint tes murs. Bien joué, Aurore.

– Et si ça peut rendre service, je t'annonce que tu es prise samedi. Tu repeins mon plafond.

8 février

Quand on rit beaucoup, il est très difficile : de ne pas se tacher, de ne pas laisser la peinture goutter par terre, d'éviter les coulures, de ne pas faire de traces avec le rouleau.

La première couche est un désastre. La couleur parme est un autre désastre. Et je n'ose même pas penser à ce que donnera le vert d'eau. Désastrissimo, probable.

Rose saumon, je ne savais pas. J'ai déconné. Pardon.

9 février

– Tu veux connaître ta note au contrôle que je rends demain ?

– Oui.

– Dix-sept.

– Dix-sept ?

– Dix-sept. Première.

– Ah bon.

– Tu n'as pas l'air contente…

– Si je suis trop forte, vous allez me laisser tomber.

– Tu ne vas pas te mettre à pleurer, quand même ?

– Je pleure si je veux.

– Tu me fatigues… Exercice 23, page 37. Concentre-toi ! Mieux que ça !

10 février

Elle a rendu le contrôle. Ma copie était au-dessus de la pile. Je me demande si je ne préférais pas avant. Quand j'étais nulle. Tous les cloportes me regardaient avec des yeux mauvais. Comme si j'avais volé ma place. Du coup, j'avais l'impression d'avoir abusé. D'avoir fait quelque chose que je n'aurais pas dû faire. D'être immonde. J'ai eu très envie de sortir de la classe et de m'en aller.

Personne ne vous pardonne de changer. Personne ne vous pardonne d'être meilleure que les autres.

En sortant du cours, Élodie Magnan, qui est toujours la première en tout, a fait exprès de me bousculer. Elle est idiote parce que je suis beaucoup plus grande qu'elle. Si je lui envoie une claque, je l'assomme.

– Qu'est-ce qui se passe, Magnan ? On n'est pas contente ?

Cette ahurie a eu tellement peur de ma grosse voix qu'elle a filé dans le couloir sans demander son reste. Quand ils ne m'insultent pas, ils me fuient. Misère.

11 février

Plus rien n'est pareil. Mon thème astral débloque. Je vis une sorte de tsunami stellaire. Par exemple, aujourd'hui, c'est dimanche. Normalement, le dimanche, je m'ennuie chez mes parents, je me dispute avec une ou plusieurs personnes de ma famille (généralement plusieurs), ensuite je fais des plans foireux avec Lola. À la fin, je rentre chez mes ancêtres et je me couche déprimée. Pendant ce temps-là, le climat de la planète s'est dégradé et les espèces menacées sont un peu plus menacées. Le lendemain, je vais au collège. Je suis nulle ou immonde et toujours méprisée. Je n'aime personne et je m'ennuie. Voilà ma vie normale.

Ce dimanche bizarre, mes ancêtres invitent mes parents à déjeuner. Lola nous rejoint pour le dessert. Son vieux père prend le café avec nous. Personne ne se dispute. Après le café, mon père, ma mère, ma copine, mes deux sœurs et l'affreux type du 14 Juillet prennent des pinceaux et des rouleaux, et peignent ma chambre. Opération deuxième couche. L'affreux type est un professionnel de la profession. Il donne des ordres que personne ne comprend à cause de son accent, mais tout le monde fait semblant et travaille dans la bonne humeur. Ma grand-mère prépare un gâteau de semoule dans la cuisine. Mon grand-père fait la sieste devant la télé. À l'heure du goûter, c'est presque fini. Nous sommes tellement contents de manger du gâteau de semoule que je m'excuse auprès de Vladouch.

– Je regrette d'avoir parlé de votre vieille famille dimanche dernier.

– J'ai divorcé deux ans, me répond Vladouch avec son affreux sourire du 14 Juillet. Passé pas grave. Tu pardonnes.

Lola rigole aimablement. Maintenant qu'elle est revenue au célibat, c'est comme si nous n'avions jamais été séparées. Elle ne décolle plus. Elle m'a proposé de m'aider pour les rideaux. Mes parents sourient. Même mes deux sœurs, anciennement prénommées Javotte et Anastasie, sont de bonne compagnie. Nous sommes heureux comme des gorets. Et demain, la première heure est à Ancelin.

– Je pense que tu es douée, m'a dit Ancelin vendredi dernier. Ça valait le coup de travailler.

J'ai cru tomber dans les pommes. Maintenant, j'attends tellement d'aller à son cours que j'ai peur de la voir en vrai.

Mettez-vous à ma place. J'ai l'impression super flippante d'avoir changé d'univers. Où est passée ma vraie vie ? Je veux la revoir une dernière fois. Elle était naze, mais je m'étais attachée.

12 février

Ce n'est pas la première fois. J'ai regardé dans mon vieux cahier. L'année dernière, au mois de février, j'ai été victime d'une crise d'excellence. J'ai eu quatre bons contrôles à la suite parce que je travaillais la nuit. La terre entière a pensé que j'étais miraculée, à commencer par mes parents qui étaient très inquiets. Ensuite, je suis sortie avec Marceau et les choses sont redevenues normales. Plus un instant pour penser au travail. Toute mon existence vouée à l'amour. Quand j'y repense, j'aurais mieux fait de laisser tomber l'amour et de vouer mon existence au travail. J'aurais ce brevet à la noix. Je serais en seconde avec Samira. Et je sortirais avec ses cinq frères. Je suis la reine de la stratégie pourrie.

Février est le mois de l'excellence. Par ailleurs, février n'a que vingt-huit jours. L'excellence n'est pas faite pour durer. Pas d'autre conclusion possible.

13 février

Je me suis bien observée dans la glace. Jessica est belle. Sophie a un appareil dentaire. Je suis moche. Plus je me regarde, plus je suis moche. Et quand je souris, je suis pire. Je suis moche et tarte.

Peut-être avec un bon gros voile noir de la tête aux pieds ?

Mais si j'ai le voile noir, je risque de décrocher le mari barbu qui va avec. C'est trop triste d'être à la fois moche et mal habillée ET mariée à un type poilu et mal habillé.

Je renonce. Le mieux, dans ces cas-là, c'est d'accepter son destin. Pour moi, ce sera Laide, Visible et Célibataire.

14 février

Saint-Valentin, fête des amoureux. Va au diable, saint Valentin, toi, tes cœurs ridicules, tes baisers grotesques, tes promesses à deux sous et tes bouquets de fleurs à la con.

15 février

Est-il possible de vivre toute une vie sans amour ? Ma réponse est : oui. À condition de dormir dans une chambre sans miroir et de couleur supportable.

16 février

Je vais consacrer mon existence à l'étude des mathématiques. Je serai une scientifique avec un tablier blanc croisé sur le devant. J'étudierai avec mes collègues internationaux. Nous serons d'abord anonymes et ensuite incroyablement célèbres. J'écrirai des formules au tableau noir devant des photographes de presse. Je serai obligée de m'exiler à l'étranger, genre la Californie, pour travailler dans des bureaux géants, au milieu d'un parc avec vue sur la mer. J'inviterai mes parents pour les vacances, et Vladouch aussi je l'inviterai, il épatera tout le monde avec son accent. Si Lola veut, elle pourra venir. Et Samira. Et ses cinq frères. Nos maisons sont assez grandes, en Californie.

Si je veux m'en sortir, j'ai intérêt à faire des progrès en anglais. Autre chose que *the leaf on the tree, the dog on the log*. Quand je fais un effort de mémoire, je retrouve bien la trace d'un cours d'anglais, et même d'un prof qui s'appelle M. Souiza. Je t'ai trop négligé jusqu'alors. Ça va changer. Dans mes bras, mon vieux Souiza !

22 février

Je regarde mes murs parme et mon plafond vert d'eau. Les rideaux dorés sont une erreur tragique. Je n'aurais jamais dû écouter Lola. Depuis qu'elle a rompu, elle a perdu le sens de la mesure.

J'ai un gros doute. Je crois que je suis heureuse. Il ne reste qu'une personne heureuse à la surface de cette planète pourrie, et c'est moi. À ce point-là, c'est une maladie. Je suis au courant, j'ai vu un reportage sur des gens qui l'avaient attrapée. Un jour, ils sont excités et ils vident leur compte en banque pour rigoler. Le lendemain, ils boivent de l'alcool et ils pleurent toute la journée pour rien. À la fin, la famille n'en peut plus et ils se suicident. Tout à fait mon genre. Comme j'avais la trouille, j'ai appelé Lola. Elle a regardé sur Internet. Puis elle m'a envoyé un texto. « c la maniako dpression. »

Dans un sens, ça m'a fait plaisir d'avoir une vraie maladie avec un nom. Même si le nom est un peu moche.

MARS

Je est une autre

1er mars
Mardi gras, le genre de fête totalement passée de mode. Pas étonnant avec un nom pareil. Les ancêtres adorent ce genre de réjouissances diabétiques et pas chères. Mamie chantonnait en faisant glisser la pâte dans la poêle. Elle ne m'énervait même pas.

J'ai mangé sept crêpes, Papi deux et Mamie en a envoyé une au-dessus du frigo pour être riche toute l'année. Mes ancêtres sont rêveurs.

J'ai pris quatre kilos et je me suis couchée dans ma chambre repeinte. Tout était beau et calme. J'aime les crêpes, mes grands-parents et la couleur de mes murs.

Même les rideaux dorés ne m'énervent pas.

Plus rien ne m'énerve.

Je suis transformée en limace.

2 mars
Il pleut. C'est normal. Mon cerveau de limace aime ce qui est normal.

3 mars
Je suis une limace pleine d'ambition.

Tout droit jusqu'à la laitue : telle est ma nouvelle devise. J'ai coincé Souiza à la fin du cours.

– Si quelqu'un veut faire des progrès en anglais, qu'est-ce que…

Il m'a regardée avec la figure de celui qui n'en croit pas ses oreilles (facile, je sais le faire aussi).

– Qu'est-ce qui se passe ? Tu te décides à travailler ?

Je n'ai pas voulu me griller.

– Je ne parle pas pour moi. Je voulais juste l'information pour quelqu'un que je connais. C'est possible de rattraper ?

– Avec du travail, tout est possible, figure-toi.

– Ah d'accord, merci.

J'ai laissé tomber et j'ai couru rejoindre les autres dans le couloir. Je ne parle pas aux gens qui prennent l'air supérieur pour me dire des trucs que je peux très bien me dire moi-même. Je me fiche de Souiza. J'apprendrai l'anglais quand je serai chercheuse en Amérique. Pour le moment, tous les gens que je connais parlent français. Pourquoi j'irais me casser la tête à apprendre un truc qui ne sert à rien, c'est un peu la question.

8 mars

Journée des femmes. La prof d'histoire a fait le cours là-dessus. Même les garçons ont dû rester. Thomas Jabourdeau a essayé de dire que ce n'était pas juste, que l'histoire des femmes, c'est pour les femmes. Du coup, il a pris un avertissement. Le cours était super déprimant. Les femmes n'arrêtaient pas d'avoir des vies atroces et des ennuis catastrophiques. Conclusion : dans la vie, il vaut toujours mieux être un homme (sauf en cours d'histoire des femmes). Tout le monde était dégoûté en sortant. Surtout Thomas Jabourdeau. Il n'arrêtait pas de râler que ce n'était pas juste, mais il ne parlait pas des femmes, il parlait de son avertissement.

– Jabourdeau, vous êtes un imbécile, lui a dit Messeigner.

Dans un sens, c'est vrai. Il est même complètement idiot. Dans un autre sens, il est tellement bête que ça ne sert à rien de le lui dire. Ce qui lui manque, c'est la matière grise pour comprendre. Ce qui manque à Messeigner, c'est de la psychologie.

9 mars

Le collège organise un voyage de classe. Juste après les vacances de Pâques. Cinq jours. À Londres. Si Souiza croit que je vais apprendre l'anglais d'ici là, il se fourre le doigt dans l'œil. Je n'irai pas. Je ne suis pas le genre de filles qui voyage avec sa classe, qui chante dans le bus et qui applaudit le chauffeur. Je sais comment les choses se passent. Moi aussi, j'ai fait une colo. Une fois dans ma vie. Sache-le, Souiza : pour moi, la colo, c'est plus jamais. J'ai regardé le papier d'inscription, je l'ai chiffonné et je l'ai lancé dans la corbeille.

– Eh ! a fait Thomas Jabourdeau. Fais gaffe ! C'est le papier pour le voyage !

– Jabourdeau, j'ai dit, n'oublie jamais que tu es un imbécile.

10 mars

Il ne pleut pas. Il fait même du soleil. Je suis encore contente. Rien n'abat la limace.

11 mars

J'ai parlé avec Lola. Elle pense que j'ai changé de personnalité. Avant, j'étais une adolescente moyenne. Maintenant, personne ne sait exactement ce que je suis.

– Des fois, je ne te reconnais plus.

– Quand tu sortais avec Marceau, moi non plus je ne te reconnaissais plus…

– Ce n'était pas pareil, j'étais amoureuse.

Je me suis rendu compte que je n'avais même plus envie d'être amoureuse. J'étais devenue le genre de fille qui ne pense qu'à avoir des super notes en maths et à décorer sa chambre. D'un seul coup, la vérité m'a sauté aux yeux.

– Lola, j'ai murmuré, j'ai trouvé : JE SUIS DEVENUE SOPHIE.

12 mars

J'ai regardé Sophie tout le temps pendant le déjeuner interfamilial du dimanche. Elle a fini par s'en rendre compte, entre la salade et le fromage. Elle m'a fait un sourire plutôt gentil. Je me demande comment une personne humaine peut supporter un appareil dentaire aussi monstrueux.

C'est simple, on dirait qu'elle a un Airbus dans la bouche.

13 mars

Ancelin arrête mon cours de maths.

– Il faut que tu apprennes à travailler seule, c'est tout ce qu'elle a trouvé à me dire.

– Ma carrière est fichue, c'est tout ce que j'ai trouvé à lui répondre.

Après, elle m'a averti que, si mes résultats descendaient, elle s'arrangerait pour me faire punir par mes parents, mes grands-parents et même la directrice.

– Je te jure que tu passeras le reste de l'année en colle.

– C'est une menace?

– C'est une promesse: si tu descends en dessous de quinze, je te ruine la vie.

– Ça marche, j'ai dit. Quinze de moyenne, alors.

16 mars, matin

Mamie m'a apporté mon petit déjeuner dans ma chambre.

Elle a ouvert les rideaux dorés et elle a posé le plateau sur mon lit. D'abord, j'ai eu l'impression d'être dans un film. Après, je me suis dit que j'avais changé d'univers. Encore après, j'ai pensé que quelqu'un était mort et qu'il fallait me l'annoncer gentiment.

J'ai crié:

– Qu'est-ce qui se passe?

– Bon anniversaire, ma chérie!

C'était tellement classe que j'ai failli fondre en larmes.

16 mars, soir

Normalement, ils attendent le dimanche pour sortir le gâteau et les cadeaux. Cette année, ils se sont arrangés pour le faire le jour exact. Un vrai repas de dimanche midi en plein jeudi soir, avec tout le monde. Même Lola était invitée. Même Vladouch le polygame et ma sœur sa fiancée. J'étais super gênée. J'ai été voir Mamie dans la cuisine :

– Franchement, c'est exagéré.

Mamie a secoué la tête. Ses joues roses et ses frisures jaunes ont tremblé ensemble. Ça faisait un très chic mouvement de vague polychrome.

– Tais-toi ! Ça fait plaisir à tout le monde.

Pour lui montrer que j'étais contente, j'ai mis la table pendant que mes invités buvaient un verre en mon honneur. Ensuite, j'ai ouvert mes cadeaux. Bon, je le dis tout de suite : j'ai eu un ordinateur. Je n'avais même pas osé le demander. Ils ont dû lire dans mes pensées. Cette fille rêve d'avoir un ordinateur, voilà ce qui était écrit dans mon cerveau transparent.

– OK, j'ai dit. Vous m'avez coupé la chique. Aujourd'hui est le début d'une nouvelle vie. D'abord, je vous dis merci. Ensuite, je regrette tout le mal que j'ai pu dire de vous et je jure de faire des efforts pour vous aimer…

À part Vladouch qui ne comprend rien et Mamie qui sourit sans arrêt, ils me regardaient tous d'un air bizarre. Je me suis sentie obligée d'expliquer.

– C'est vrai, mince... Je n'étais pas sûre que vous m'aimiez et même je pensais que vous ne m'aimiez pas beaucoup, ce qui fait que je pensais que je ne vous aimais pas non plus, et même souvent que je vous détestais, et maintenant vous m'aidez à repeindre ma chambre et vous m'offrez un ordinateur... C'est trop étonnant, je veux dire je suis sciée, et je ne dirai plus jamais que vous n'êtes pas ma vraie famille et...

– Mais qu'est-ce qu'elle raconte ? a demandé mon grand-père en regardant ma grand-mère.

– Elle essaie de nous dire qu'elle nous aime, a soupiré Mamie.

Visiblement, plus personne n'avait très envie que je fasse de discours. Pendant que je parlais, ils se sont tous levés pour s'asseoir à table. J'ai dû arrêter mes remerciements. Après tout, tant mieux. C'est toujours difficile de terminer dignement. Dans mon assiette, j'avais encore trois cadeaux.

– Le petit bleu, c'est le mien, a dit Lola. À côté, celui de Sophie. En dessous, celui de Jessica.

– Tu peux les ouvrir, a ajouté Jessica. À condition de ne pas nous remercier.

– Par pitié, a fait Lola. Ta nouvelle personnalité est complètement nulle en discours.

17 mars

Sophie m'a offert une souris en peluche grise. Elle croit peut-être que je viens d'avoir quatre ans. Jessica m'a trouvé des boucles d'oreilles noires qui ressemblent à des crottes de lapin et que je pourrai toujours porter le jour de mon enterrement. Et Lola m'a acheté un livre. C'est une drôle d'idée d'offrir un livre à sa meilleure copine pour son anniversaire. Dommage qu'elles m'aient dispensée de discours. J'avais des trucs à dire.

18 mars

Le livre de Lola est l'horoscope de l'année. Sur la couverture, quelques étoiles en vrac et un poisson. Étoiles = zodiaque. Poisson = poissons. Avis aux illettrés.

Rien qu'à la couverture, on sait à quoi s'attendre. Sornettes et fariboles. L'avantage, c'est qu'il est vite lu: vingt minutes entre le titre et le résumé de dernière page.

La surprise, c'est son prix: douze euros, ça fait cher de la minute. Surtout de la minute naze. Je résume. Côté santé, j'ai intérêt à surveiller mes veines.

Côté travail, j'ai intérêt à avoir de grands succès. Côté cœur, j'ai intérêt à rencontrer l'amour. Le tout pour douze euros. La pure arnaque. Quand je serai grande, si je ne suis pas chercheuse californienne, je pourrai toujours écrire des horoscopes dans ma chambre. Au moins un truc que j'ai appris sur mon avenir. Merci, Lola.

19 mars

Lola m'a offert une photo de nous deux quand on était petites, agrandie et encadrée dans un cadre en bois doré. On était déguisées avec des ailes d'anges. Trop mignonnes.

Je remarque que le cadre est assorti à mes rideaux. Lola a un complexe avec le doré. Je me demande ce que ça veut dire.

– C'est ton vrai cadeau, patate. L'horoscope, c'était pour rigoler.

– Et la souris et les boucles d'oreilles? C'est aussi pour rigoler?

– Demande à tes sœurs, a dit Lola.

– Ce ne sont pas mes sœurs. Mes parents m'ont trouvée dans la rue.

– Arrête avec ta vieille personnalité, a dit Lola. Même moi, j'en ai marre.

Mes amies me préfèrent en limace. Mon avenir est dans les choux.

20 mars
Comment c'est possible d'avoir été si mignonne quand on était petite et d'être si immonde quand on est grande ? C'est un programme génétique maudit ou quoi ?

Je n'ai plus de cours particuliers. Je continue à faire mes exos chez moi. J'ai de bonnes notes. Élodie Magnan me regarde avec des yeux pleins de haine et d'incompréhension. Mais je m'en fiche. J'ai remarqué qu'elle est très moche. Quelquefois même, je pense qu'elle est beaucoup plus moche que moi. Je suis une splendeur flamboyante et elle se dessèche de jalousie. Bon, ça recommence. Il faut que je me calme. Je déconne à plein tubes.

21 mars
Printemps. Saison pluvieuse. Triomphe de la limace.

22 mars
Maintenant que j'ai un ordinateur, je n'ai plus le temps de regarder la télé. Je suppose que la même guerre continue, que la même conférence se répète,

et que les mêmes gens couchent ensemble à répétition. Le monde tourne et je ne suis au courant de rien. Je suis en train de me couper de la réalité.

23 mars

En tout cas, je ne me coupe pas de Lola. Quand on a raccroché le téléphone, on ouvre l'ordinateur et on se retrouve sur la messagerie. Même éloignées, nous sommes inséparables. En même temps, je n'ai pas l'impression de lui dire plus de choses qu'avant. La vérité, c'est que je n'arrive même pas à me souvenir de ce qu'on se dit. Les mêmes choses à longueur de temps, je suppose.

24 mars

J'ai honte de le dire, mais j'en ai marre de Lola. Pas tout le temps. Mais souvent. C'est minable, je sais. Mais j'ai honte. Zut, je l'ai déjà dit. J'ai honte, honte, honte. Zut, flûte, crotte.

C'est à cause de la messagerie. On n'a jamais le temps de s'oublier un peu. On est tout le temps obligées de se parler. C'est minant. Peut-être que je devrais essayer de me disputer. Une bonne dispute, quelques semaines de vacances, et après tout s'arrange.

24 mars, avant de me coucher
Je suis un monstre.

25 mars
J'aimerais bien revoir Samira mais je n'ose pas lui parler. Elle fait semblant de ne pas me voir à la sortie des cours. Elle traîne toujours avec des grands de première. Peut-être qu'elle est au courant que je suis une amie foireuse. Peut-être qu'une fille de seconde ne s'abaisse pas à causer à une redoublante de troisième. Samira, je te hais. Et que deviennent tes cinq frères?

27 mars
J'ai attendu qu'elle sorte du lycée. Je me suis plantée devant elle et je suis tombée par terre. Plus exactement, je me suis laissée glisser mollement, avec mon sac sur les épaules. Et pour être sûre qu'elle ne fasse pas semblant de m'ignorer, je me suis écrasée sur ses chaussures.

– Je crois que j'ai la jambe cassée, j'ai dit.

– Ça m'étonnerait. Ou alors c'est très grave. On a jamais vu une jambe qui se casse toute seule.

Je suis restée un peu par terre à me rouler à ses pieds. Comme elle ne faisait aucun geste pour me ramasser, j'ai fini par me relever toute seule.

– Ça va mieux ?

– Je cicatrise vite. Tu vas bien ?

Voilà, c'est assez simple pour finir. Je ne connais pas de meilleure stratégie que la jambe cassée pour renouer avec ses vieux amis.

– Je croyais que tu ne voulais plus me voir, a dit Samira.

– Je pensais que tu avais honte de moi.

– Je me disais que tu préférais ta copine Lola.

– J'imaginais que tu t'étais fait des amis plus intéressants.

– C'est bizarre comme on se fait des idées.

– C'est vrai, c'est bizarre. Et comment va la famille ?

Je me demande si Sophie ferait semblant de se casser la jambe dans l'unique but de renouer avec une ancienne copine dont elle lorgne les cinq frères… Ça m'étonnerait.

30 mars

J'ai écouté la radio dans la cuisine avec Mamie. Ou plutôt : j'étais dans la cuisine et Mamie écoutait la radio. C'était une émission nulle sur l'adolescence. Des gens nuls disaient des trucs nuls en vrac. À un moment, une femme a expliqué que le gros souci de l'adolescence, c'était l'identité. L'adolescent doit trouver son identité, première galère. Ensuite, il doit l'accepter, et les choses deviennent pires que tout. Je me suis demandé s'il fallait que j'accepte d'être Sophie. Ou une moitié de Sophie. Et qu'est-ce que je vais bien pouvoir trouver pour l'autre moitié ? Jack l'Éventreur ?

Je suppose que tout le monde ne peut pas être la moitié de Marie Curie et l'autre moitié d'Angelina Jolie.

AVRIL

Faire une fête

1er avril

– On prend une copie double et un stylo ! a lancé Ancelin en entrant dans la classe. Contrôle !

Vent de panique sur le troupeau. Regards affolés dans tous les sens. Élodie Magnan triomphante. Thomas Jabourdeau au bord des larmes. Bruits de feuilles divers et recherches fébriles de stylos en état de marche. Ancelin nous a laissés nous agiter avec un petit sourire en coin. Et puis elle a dit :

– Poisson d'avril !

Exactement le genre de blague que mérite le ministère de l'Éducation nationale. Réforme des collèges ? Poisson d'avril ! Suppression du bac ? Poisson d'avril ! Simplification de l'orthographe ? Poisson d'avril ! Au moins, les gens seraient réveillés. Un peu comme cette bande de cancrelats qui se regardaient complètement effarés, pas vraiment sûrs de pouvoir ranger leur feuille et leur stylo.

– Ne faites pas cette tête, s'est excusée Ancelin. C'était une plaisanterie…

Rien à faire, ils n'osaient pas bouger. Un prof qui plaisante, ça fait peur. Un peu comme un dingue armé d'une mitraillette qui vous annonce qu'il a envie rigoler un peu. Tout le monde n'a pas la même conception de l'amusement.

2 avril

– Devine ? m'a dit Lola au téléphone – ce qui était complètement idiot, je ne pouvais pas savoir puisque je venais de décrocher.

– Devine quoi ?

– Un truc trop génial…

Parmi toutes les inventions minables de l'existence, les devinettes sont de loin les plus minables. Les devinettes sont minablissimes. À part énerver les gens et leur faire perdre du temps, je ne vois pas à quoi elles servent.

– Ou tu le dis direct ou je raccroche.

– Je fais une fête.

– Poisson d'avril ?

– Justement pas. Mon père est d'accord. Il prête l'appart. On invite qui on veut.

– Quoi, « qui on veut » ?

– Qui on veut, c'est tout.

– Qui tu veux ?

– Qui tu veux aussi. Propose à Aurore d'inviter qui elle veut, c'est ce qu'il a dit.

– Qu'est-ce que tu as répondu ?

– D'accord.

– Tu es devenue dingue ? Qui je peux inviter ? Je ne connais PERSONNE.

– Et alors ? Moi non plus.

Jamais vu une fête aussi mal partie de ma vie. Jamais vu de fête du tout, d'un autre côté. J'avais assez envie de laisser tomber. Sauf que c'était trop bête d'abandonner simplement parce qu'on n'avait pas d'invités.

– Tu peux toujours appeler Marceau... Il connaît peut-être des gens...

– Et toi, demande à Samira. Tu m'as dit qu'elle avait des frères...

Deux invités en moins de deux minutes. Encourageant.

– Elle est quand, cette fête ?

– Dans quinze jours.

– C'est bon. On a le temps de chercher.

3 avril

J'ai passé toute ma journée à regarder discrètement autour de moi pour trouver des invités possibles. Je n'ai vu que des trolls en quête de leur identité. L'adolescence est un âge maudit.

6 avril

Lola a invité deux filles de sa classe. Une fille atroce qui a un cousin très beau (elle a promis d'inviter le cousin). Une fille normale qui n'a pas de cousin mais une jumelle qui lui ressemble de façon monstrueuse (la jumelle est invitée). Une beauté unique et une paire de monstres : si on n'a pas d'invités, on a au moins deux attractions.

Je n'ai trouvé personne. Je suis un zéro social.

10 avril

Je n'ai pas le choix. La seule personne humaine dans ce collège trollesque est malheureusement une enseignante. Je suis allée la voir. J'ai pris l'air de la fille qui ne doute de rien et je lui ai demandé :

– Madame Ancelin, sans indiscrétion, est-ce que vous avez des enfants de mon âge ou à peu près ?

– Non. Pourquoi ?

– Pour rien. Je fais une fête et je cherchais des invités.

Elle a eu son drôle de petit sourire, le pur sourire du poisson d'avril.

– J'ai un filleul. Il fait du basket.

– C'est pas grave. J'invite le filleul.

– Et pour le basket ? Si tu veux, je peux t'avoir toute l'équipe…

13 avril

Samira avait l'air assez flattée d'être invitée.

– J'espère que ta jambe va mieux.

Si elle espère me casser avec ce genre de moquerie, elle a oublié à qui elle parlait.

– C'était psychosomatique. Vertige consécutif à d'anciens traumatismes.

Je l'ai bien eue. Elle en est restée comme deux ronds de flan. Samira adore le lexique médical. Toute sorte de médical. Ça va du trouble intestinal aux angoisses nocturnes. Elle est raide dingue de tout ce qui déconne.

J'aurais bien arrêté les frais mais elle avait l'air passionnée par mon histoire. C'était un peu embarrassant parce que j'avais piqué la phrase dans le *Télé 7 jours* de Papi. Je l'avais trouvée dans une lettre du courrier des lecteurs. Une bonne femme complètement tapée qui ne savait plus quoi inventer pour se rendre intéressante. Quand je lis, je me souviens parfois de phrases entières. Elles restent dans mon cerveau. Elles stagnent. Le plus étrange, c'est qu'elles n'ont aucun intérêt. Heureusement que je ne lis pas souvent.

– Consécutif à d'anciens traumatismes ? a répété Samira avec une sorte d'avidité. Quels traumatismes ?

J'étais dans la poisse. J'ai fait semblant d'être gênée, le temps de trouver une réponse.

– Traumatismes ovariens, j'ai répondu, et là j'ai vu que j'avais marqué un point.

Elle a pris un visage incroyablement respectueux. Beaucoup plus respectueux que si je lui avais appris que je venais de décrocher un dix-neuf en maths. Pour une Samira, le dix-neuf en maths est banal. Le trouble ovarien est miraculeux.

– Tu as un truc aux ovaires ?

Misère. Je ne me souvenais plus du tout qu'« ovarien » avait un rapport avec « ovaires ». S'il y a un truc dont je déteste parler, c'est bien les ovaires et tout ce qui va avec. D'ailleurs, je n'en parle jamais. Ça me dégoûte.

– Des problèmes de règles ?

Elle voulait ma mort ou quoi ? Règles ? Encore pire qu'ovaires ! Et pourquoi pas règles douloureuses, pendant qu'on y était ?

– Des règles douloureuses ?

Bon sang ! Elle avait perdu la boule ! On n'a pas idée de poser des questions pareilles. Déjà, ce n'est pas drôle que tous ces trucs existent. Mais s'il faut en parler en plus, c'est la fin des haricots. Comment voulez-vous que je m'en tire ?

– C'est tellement douloureux que je ne peux même pas en parler. C'est pour ça que j'ai un traumatisme.

Pauvre petit chat. Elle a eu l'air complètement affolée.

– Tu devrais en parler à ton médecin.

– Je ne lui parle que de ça, qu'est-ce que tu crois ?

J'ai vu arriver le moment où on allait passer l'après-midi à parler de problèmes de ventre. Je crois que j'avais épuisé mon stock de patience. Pitié.

– En fait, je voulais te dire... À propos de la fête... Si tu veux inviter des gens que tu connais...

Tout en parlant, j'essayais la transmission de pensée. Je lui envoyais des ondes de toutes mes forces pour qu'elle arrête de penser à des ovaires et qu'elle pense plutôt à ses frères.

– C'est sympa. Je vais demander à ma nouvelle copine. Elle est très marrante, tu verras.

Échec sur toute la ligne. Je suis nulle en télépathie.

14 avril

Cours de maths. J'ai dit oui pour l'équipe de basket. Quelqu'un sait à combien on joue, au basket?

15 avril

Marceau a proposé à Lola de s'occuper de la musique.

Pour un gars qui s'est fait plaquer deux fois à six mois d'intervalle, et par deux copines, je n'ai qu'une chose à dire: il est sans rancune.

16 avril

Le déjeuner interfamilial du dimanche a été entièrement consacré à la fête de Lola. Ils étaient tous enchantés de tenir un sujet de conversation. Pour une fois.

– Pas d'alcool, hein! a fait mon père.

– Je peux venir? a demandé Sophie.

– Tu t'habilles comment? m'a dit Jessica.

– Tu dors chez elle? s'est inquiétée ma mère.

– Je peux vous préparer des gâteaux, a proposé Mamie.

– Il reste de la purée? a lancé Papi.

J'ai attendu un peu mais Vladouch n'a rien dit. Il a profité du vacarme général pour finir la purée.

Quand le tour de table a été terminé, j'ai répondu à tout le monde. J'ai dit :

– Oui à mon père ;

– Tu rêves ta vie à ma sœur ;

– De quoi tu te mêles ? à mon autre sœur ;

– Sauf si je me trouve un petit copain à ma mère ;

– D'accord, mais au chocolat à ma grand-mère ;

– Vladouch a tout mangé mais il reste de la salade à mon grand-père.

17 avril

Je suis tellement énervée que je n'arrive pas à m'endormir. Et quand je m'endors, je fais des rêves désolants. Je marche toute nue dans la rue et je dois me cacher dans les entrées d'immeubles en attendant de trouver la maison de Lola. Ou alors un gros imam barbu arrive à la fête et tout le monde est très embêté parce qu'il casse l'ambiance. Je me réveille épuisée. Vive l'insomnie, c'est ma nouvelle devise.

18 avril

Comment je vais m'habiller ? Comment je vais m'habiller ? Comment je vais m'habiller ?

19 avril
Je déteste préparer une fête. Je déteste plus encore préparer une fête que répondre à une devinette. Le seul truc est qu'au moins, quand j'organise une fête, je suis invitée. Je me dis que je devrais répondre aux devinettes que je me pose. Voilà ma nouvelle nouvelle devise : organiser mes fêtes moi-même et répondre à mes propres devinettes. Et renoncer à jamais à rencontrer les frères de Samira.

20 avril
Je ne pense qu'à ça. Ma vie tout entière tourne autour d'une soirée qui durera de vingt heures à minuit. Tout le reste se déroule dans un brouillard confus, le collège, les ancêtres, la famille biologique. Je suis en train de passer à côté de ma vie pour exactement quatre heures de musique pourrie, de Coca éventés, de pizzas refroidies et d'équipe de basket inconnue. Et je n'arrive même pas à en vouloir à Lola.

Elle s'est fait couper les cheveux. Elle a une frange. Mauvais plan. Elle ressemble vaguement à un poney (mais je ne lui ai pas dit). C'est triste.

21 avril
C'est demain. Je n'arrive pas à le croire.

Surtout, je n'arrive pas à penser qu'après-demain tout sera fini. Qu'est-ce que je vais faire de ma vie, après ?

22 avril à midi
Ce matin, Mamie m'a conduite au supermarché. J'ai acheté du Coca, du jus d'orange et sept pizzas surgelées. J'ai pris jambon-champignons, et tomates-mozzarella.

Moitié moitié. C'est plus raisonnable.

Mamie m'a fait acheter du Sopalin et de la lessive pour nettoyer par terre, après. C'est raisonnablissime.

Lola m'a promis qu'elle achetait de la bière (on ne sait jamais, avec l'équipe de basket) et des sacs de bonbons.

Quand on est passées à la caisse, j'ai eu envie d'embrasser la caissière. Quand Mamie a payé, j'ai eu envie d'embrasser Mamie. Je suis à cran.

22 avril, une heure plus tard
C'est décidé. Je mets un jean et une chemise blanche. Je pourrai toujours ouvrir les boutons du haut si le prince charmant débarque à minuit en citrouille.

22 avril, cinq minutes plus tard
Je me demande pour les oreilles. Boucles ou pas boucles ?

22 avril, une minute plus tard
Je me suis maquillé les yeux. Résultat : deux cocards géants. Mon karma de femme battue, probablement.

22 avril, cinq secondes plus tard
Marceau est arrivé avec son ordinateur et sa playlist. Il va se brancher sur les enceintes du vieux père de Lola. Marceau, tu es un génie. Je t'embrasse quand tu veux. Tout est pardonné.

22 avril, une seconde plus tard
Les choses s'accélèrent. Mamie a déposé trois gâteaux au chocolat. Le vieux père de Lola et sa vieille petite amie nous ont aidés à pousser les meubles. Miracle ! Alléluia ! Le salon parental était transformé en boîte... Après, ils nous ont dit au revoir très gentiment. Vieux père de Lola, tu es un ange. Je t'embrasse quand tu veux. Non, je déconne. C'était pour rire.

22 avril, fin d'après-midi
Lola a des battements cardiaques.

Elle devrait en parler à Samira, c'est peut-être ovarien. Je ne me sens pas très bien. Est-ce qu'on peut mourir de panique? Réponse tout à l'heure.

22 avril, dix-neuf heures
Je suis démaquillé les yeux. Lola a maquillé les siens. Marceau est calme et beau comme une statue. On dirait qu'il a fait DJ toute sa vie. Ce type est un mystère. Un mystère d'ennui peut-être, mais un mystère quand même.

22 avril, dix-neuf heures trente
On sonne. C'est complètement fou.

23 avril
Ma vie a changé. Hier, j'étais un zéro social. Aujourd'hui, je suis une fille populaire. Je suis même la fille la plus populaire que je connaisse, mis à part Lola (qui a toutefois ce problème qu'elle ressemble vaguement à un poney). Le plus dingue, c'était de voir arriver tous ces gens qu'on avait invités. Samira et sa nouvelle copine qui ressemble à Mariah Carey en plus grosse. Marceau et trois filles de son lycée, qui ont l'air dindes mais gentilles. Les jumelles et le cousin soi-disant très beau. Des gens que Lola avait invi-

tés et dont elle avait complètement oublié le nom. Et le filleul d'Ancelin avec ses potes du basket. Presque vingt personnes, tassées dans le petit appart de Lola et noyées dans la musique de Marceau.

Marceau est un amoureux lamentable mais un DJ formidable. Dommage qu'il ait fallu passer par la case Un avant de découvrir la Deux. Lola a fait un discours génial pour dire à tout le monde – et surtout aux filles – qu'il était le champion des ex. Tout le monde a compris qu'il ne fallait surtout pas sortir avec lui. Sur le coup, il a eu l'air vexé, mais comme il est sorti avec Mariah Carey cinq minutes après, il était content et tout s'est bien terminé.

Les invités ont mangé les pizzas, bu le Coca et dansé (pas tous mais presque). Même moi, j'ai dansé (et, comme il faisait très chaud, j'ai défait le deuxième bouton de mon chemisier). Je n'ai pas tellement eu le temps de me dire que je dansais comme une brique parce qu'il a fallu que je m'occupe de Lola qui était obsédée par le filleul d'Ancelin. Il s'appelle Antoine et son problème, c'est qu'il est beaucoup trop beau. Comme Lola l'aimait à la folie, je n'ai pas eu l'occasion de m'y intéresser. De toute façon, j'étais trop occupée par la fête : tous ces gens me trouvaient super sympa, je n'allais pas me gâcher le plaisir en m'enfermant dans la cuisine avec un seul type. Appelez-moi désormais super sympa, c'est ma nouvelle nouvelle nouvelle devise.

À un moment, un type du basket a dansé avec moi en me serrant de près.

– Tu sais que tu es trop mignonne ?

Voilà ce qu'il m'a dit (dans l'oreille).

– Si tu veux savoir, je déteste les ovaires et je ne couche avec personne.

Voilà ce que je lui ai dit (en face).

– Tu es trop marrante.

Voilà ce qu'il m'a dit (dans le cou), et après je n'en ai plus entendu parler. Encore un type qui me trouve repoussante.

À la fin, le voisin du dessous est venu pour nous ordonner d'arrêter la musique ou alors il appelait les flics. On a essayé de l'inviter (c'était un conseil du père de Lola : un voisin qui râle, on l'invite). Puis, comme il était en pyjama et de très mauvaise humeur, on lui a dit d'appeler les flics si ça lui faisait plaisir. Ils pouvaient venir, la fête était presque finie.

– Soirée géniale, nous a dit Antoine, dit Filleul-de-Rêve, en cherchant son blouson dans le tas des blousons. J'espère qu'on va se revoir.

– J'espère, a murmuré Lola avant de commencer à s'évanouir à ses pieds (mais il a claqué la porte et elle a renoncé à l'évanouissement complet).

– Je crois que je vais m'inscrire au basket, a-t-elle dit ensuite.

Nous étions au lit. Elle n'arrêtait pas de parler et j'en avais super marre.

– Demain. À cette heure-ci, le club est fermé.

Là-dessus, je me suis endormie. J'ai rêvé qu'un tas de sportifs tout nus sortaient de gâteaux au chocolat géants pour fêter mon anniversaire. Je me demande ce que ça veut dire.

MAI
Congrès de trolls en Angleterre

1er mai

Au début, j'ai fait semblant de ne pas l'avoir. Ensuite, j'ai fait semblant de le chercher. Enfin, je l'ai retrouvé dans mon classeur de maths. J'ai appelé Lola. Elle m'aime. Elle m'adore. Je viens de lui donner le numéro de téléphone de Filleul-de-Rêve.

Toute cette blague m'a pris une semaine. J'espérais qu'en une semaine elle aurait le temps de se calmer. C'était mal connaître Lola. Elle a profité de sa semaine pour s'inscrire à un club de basket. Cette fille est possédée. Le poney qui sommeillait en elle est réveillé. Apparemment, il est indomptable.

L'opération Téléphone-Pour-Lola a occupé une bonne partie de ma journée. Pour le reste, la limace qui sommeille en moi s'est traînée inlassablement de mon lit à mon bureau et retour. J'ai passé trois heures à glandouiller sur Internet. Ne me demandez pas ce que je cherchais. J'ai oublié. Des clips peut-être.

2 mai

– Tu n'as pas l'air contente, a fait Mamie.

– Ne parle pas si fort, a protesté Papi. On n'entend plus le présentateur.

Du coup, Mamie l'a fermée et plus personne n'a rien dit. Juste un demi-type (moitié supérieure) assis derrière un demi-bureau *(idem)* qui hurlait qu'il y aurait sécheresse cet été. C'était étrange. C'était irréel. C'était le journal télévisé.

– Qu'est-ce qui ne va pas? a recommencé Mamie dans la cuisine pendant que je rangeais les assiettes dans le lave-vaisselle.

Toute cette gentillesse grand-maternelle, franchement, je n'en peux plus. Souvent, je me dis qu'elle fait exprès de parler doucement pour m'énerver. Dans ces moment-là, j'aimerais assez remettre la main sur mes vieux parents biologiques, ces rustres à grosse voix, et leurs filles malfaisantes. Une bonne engueulade, c'est comme l'orage après la canicule. Ça décape.

– Ma chérie, a soupiré Mamie, je vois bien que tu te fais du souci...

Elle me rend dingue avec ses soupirs. Elle joue avec mes nerfs. À la fin, c'est radical. Je craque. J'avoue tout et même plus. Effet Guantanamo.

– Je ne veux pas aller à Londres. Je déteste l'anglais, je déteste ma classe, je déteste les voyages. Si seulement on prenait l'Eurostar... Mais en plus, il faut se taper le bus !

Je râlais comme un vieil acteur français dans un film du dimanche soir. Ce qui n'avait visiblement aucun effet. Le visage de ma grand-mère s'est éclairé subitement (les premiers ravages du vieillissement, sans doute).

– Mais ça va être formidable ! Quelle chance tu as de partir une semaine entière ! Et entre jeunes ! Si seulement je pouvais vous accompagner...

En une fraction de seconde, j'ai visualisé le désastre : Souiza embauchant mon ancêtre pour encadrer notre joyeuse petite troupe. La frisure ancestrale traversant le *channel*, copinant à qui mieux mieux avec des enseignants désœuvrés et des jeunes privés d'affection.

Et moi appelant en vain un typhon pour nous anéantir tous.

Total nightmare.

J'ai mis un stop à la conversation.

– Laisse tomber. Tu ne peux pas comprendre. De toute façon, je n'ai pas le choix. J'irai. C'est au programme.

4 mai

Mon petit poney m'a téléphoné. Elle est allée à son entraînement de basket. Sa crinière ne l'a pas empêchée de mettre des paniers. J'espère qu'elle ne compte pas m'appeler tous les soirs pour me donner les scores.

Je ne tiens pas un hara.

5 mai

Quand je pense qu'elle était amoureuse folle de Marceau il y a quatre mois ! Tout ça pour venir me pleurer dans le paletot le jour où elle a voulu s'en débarrasser... Apparemment, elle n'a RIEN appris. L'expérience ne lui sert à RIEN. Tout recommence exactement pareil. La terre tourne autour du nombril d'un type qu'elle a rencontré il n'y a pas quinze jours. Elle ne parle que de lui, elle ne pense qu'à lui. Je n'existe plus.

Lola est une love addict. Et je suis une bonne poire.

6 mai

Ce voyage à Londres me ruine le moral. Je hais l'Angleterre. Vingt heures de bus. Et en plus, il faut prendre un bateau. Misère.

6 mai, plus tard
Sans blague, à part le pudding, qu'est-ce qu'ils ont jamais fait de si intéressant, les Anglais ? On aimerait bien savoir. On aimerait bien comprendre ce qui les justifie, tous ces voyages à Londres.

7 mai
Le déjeuner dominical a été largement consacré aux charmes du voyage de classe. C'est marrant comme des gens qui n'ont rien à dire en général deviennent bavards dès qu'ils ont l'occasion de vous déprimer.

– Londres est très belle ville, a dit Vladouch, avec un grand sourire constellé de débris de petits pois mal cuits.

Je suppose qu'il est gagné par la maladie de la gentillesse, qui est clairement l'épidémie contagieuse et dégénérative du moment.

– Une très belle ville, mon chéri, a repris ma sœur avec son sourire de mère de quatorze enfants.

C'est dingue comme l'amour a vite fait de transformer une gothique à langue percée en chouchoute à son chéri.

– Il va pleuvoir toute la semaine, a grommelé Papi. J'ai vu la météo à la télé. L'Angleterre est sous la flotte.

Il ne m'a même pas jeté un coup d'œil. Il s'est coupé un bout de gruyère monumental. Ce vieux Papi résiste aux pandémies. Il a repoussé la vache folle et la grippe aviaire. Ce n'est pas la gentillesse qui l'aura.

7 mai, plus tard

Dans quelques heures, je prends mon vieux sac à dos et mon pique-nique rassis et je monte dans le car. Avec un peu de chance, je serai assise entre nos accompagnateurs, M. Souiza, prof d'anglais, et Mme Messigner, prof d'histoire. Ancelin s'est défilée, c'est tout dire.

Je n'arrive même pas à imaginer à quoi peut ressembler un voyage de classe à l'étranger. À un voyage de classe en France, sans doute. En pire. Pourquoi faut-il que j'en sois ? Je suis victime d'une volonté beaucoup plus puissante que la mienne. Le destin, je ne vois que ça.

Mektoub.

8 mai, à l'aube

Adieu, petit journal. Je te laisse derrière moi comme la preuve minuscule que j'ai existé un jour.

Si Dieu veut, je te retrouverai à mon retour.

Si je ne reviens pas, embrasse bien fort mon petit poney pour moi. Je regrette toutes les blagues que j'ai faites sur son compte. Je lui souhaite d'épouser Filleul-de-Rêve, d'être heureuse et d'avoir beaucoup de petits ballons.

14 mai

Mamie est venue me chercher à l'aube. Une bande de collégiens crasseux et exténués sont descendus du car en traînant leurs sacs, suivis par deux enseignants splendides et transfigurés.

Souiza s'appelle Christophe. Messeigner s'appelle Anita. Anita. Drôle de nom pour un prof d'histoire. On apprend beaucoup de choses sur les enseignants pendant les voyages de classe. Si désagréable que soit l'idée, il faut admettre qu'ils ont une vie sexuelle. C'est répugnant, je sais.

Thomas Jabourdeau les a vus en train de s'embrasser. C'était le matin, juste avant le petit déjeuner, dans le hall de l'auberge de jeunesse. Jabourdeau, qui est un imbécile, n'est pas vraiment sûr qu'ils s'embrassaient, mais il jure qu'ils étaient scotchés l'un à l'autre et qu'ils avaient l'air amoureux.

J'en conclus que Jabourdeau n'a jamais vu deux personnes s'embrasser.

Deux profs qui montent tout un voyage pour sortir ensemble, c'est effrayant. Je me demande ce qui me retient de me mettre en grève.

À part ça : vingt heures de bus. Et quelques vomissements sur le bateau. J'ai mal au ventre, j'ai mal aux pieds, j'ai mal au dos, j'ai mal aux fesses. Il a plu pendant cinq jours, je n'ai mangé que des choses grasses et molles, et je déteste les musées.

– Tu as dû apprendre beaucoup de choses, a soupiré cette vieille rêveuse de Mamie en montant dans la voiture.

– J'ai fumé des cigarettes, ai-je répondu. J'ai bu de la bière. J'ai passé une nuit blanche. J'ai voulu me faire tatouer avec mon argent de poche mais la tatoueuse n'a pas voulu me prendre.

– Pas mal, a dit Mamie en véritable femme de fer. C'était quoi, le tatouage ?

Pour impressionner ma grand-mère, il faut toujours en faire des tonnes. C'est fatigant, à la fin. Je me suis dégonflée.

– Je te raconte n'importe quoi. En Angleterre, personne n'a le droit de fumer, ils ne vendent pas de bière aux jeunes, et jamais je ne paierai quelqu'un pour me faire des trous dans la peau.

– Je n'ai jamais aimé la bière, a remarqué Mamie,

exactement comme si nous avions une conversation normale. J'espère qu'au moins tu as eu ta nuit blanche...

Si elle savait, la pauvre. Au collège, ce sont les profs qui se la donnent. Les élèves, la nuit, ils dorment. La génération sacrifiée, jusqu'à nouvel ordre, c'est nous.

15 mai

J'ai sorti le sachet de thé et la boîte d'encens que j'ai achetés pour Mamie et Papi. Surtout pour Mamie, c'est vrai. Mais qu'est-ce qu'on peut bien offrir à Papi ? Un sonotone ? Une zappette ? Enfin... j'avais deux choses pour deux grands-parents et elles étaient également ratatinées par un voyage au fond du sac.

Mamie a ouvert des yeux comme des billes (oh ! la surprise du chef !). Elle a poussé différents cris pour qu'il soit bien clair qu'elle était très contente de l'encens. Pour une adoratrice de Bouddha, j'avoue que c'était bien choisi. Papi l'a vaguement imitée (chic ! du thé !) mais, comme il n'en boit pas, c'était super raté.

Acheter de l'encens qui pue et du thé à la poussière, j'aurais pu le faire en France. Tout ce qu'on achète en Angleterre s'achète en France. Sauf la nourriture. Mais personne ne veut acheter de nourriture en Angleterre.

J'ai quand même trouvé des bonbons pour ma famille biologique. Je les ai choisis pour les couleurs (rose et noir, vert et noir, bleu et noir, jaune et noir, noir). Et ils n'étaient pas chers du tout. S'ils sont empoisonnés, j'espère que ça ne sera pas retenu contre moi. Quand on a visité les vieilles prisons de Londres, on se tient à carreau.

16 mai

C'est rigolo. Maintenant que je les connais de bus et d'auberge de jeunesse, je ne les vois plus du tout de la même façon. Cette grosse Célianthe par exemple (on se demande ce que les parents ont dans la tête quand ils choisissent les prénoms... du placenta ?). Comme elle est toujours assise au premier rang, on pense qu'elle est demeurée. Mais pas du tout. Elle a un vrai génie pour faire très discrètement des blagues horrifiantes, et elle choisit toujours le pire moment. Ça demande beaucoup d'intelligence, figurez-vous. Comment j'ai fait pour ne pas le voir plus tôt ? Mystère.

Sa copine Samantha est marrante aussi. Elle se maquille les yeux comme une déesse, elle siffle avec deux doigts dans la bouche. Et elle est championne régionale de patin à glace. Toutes informations inconnues de moi jusqu'alors.

Et puis ce type, Bastien, avec des lunettes et des cheveux longs. Il suivait Samantha comme un petit chien, et il était tellement timide qu'il n'arrivait pas à lui parler sans devenir tout rouge et bégayer. Dommage parce qu'il n'est pas moche du tout. Il serait même plutôt mignon s'il arrêtait de rougir pendant trente secondes.

Même Jabourdeau est marrant. Il fait des efforts de dingue pour qu'on l'aime. Il a passé son temps à suivre Souiza et Messeigner. Il nous donnait des informations dix fois par jour. Pauvres vieux. Dans le fond, je n'aurais pas aimé être à leur place. Espionnés à longueur de journée par un demi-dingue… Même pendant le pique-nique au parc, il ne les a pas lâchés d'une semelle. Pourtant, sous la pluie battante et entourés de vingt trolls en imper, ils ne risquaient pas de faire beaucoup de trucs intéressants.

J'aurais pu me forcer à détester Élodie Magnan, mais elle n'était pas du voyage. Ses parents ont fait une lettre au collège pour l'excuser, sous prétexte d'allergies diverses. Mais elle a dit à tout le monde qu'elle préférait mourir plutôt que de venir avec nous, qu'elle détestait l'Angleterre, le car et les voyages en groupe. Élodie Magnan est une quiche. Je ne dis pas que ce ne sont pas des cloportes et des trolls. Mais ce sont de bons cloportes et de chouettes trolls.

– Je ne pensais pas que tu pouvais être sympa, m'a dit Célianthe dans le bus.

– Franchement, je ne pensais pas non plus.

Elle en a profité pour s'endormir sur mon épaule. Je n'ai plus osé remuer. Ses cheveux me chatouillaient la figure. J'étais dégoûtée. Je ne déteste pas les nouveaux amis, mais il y a des limites à tout.

17 mai

Lola est arrivée à ses fins. À force de basket et de téléphone, elle sort avec ce type que je lui ai obligeamment présenté.

On peut même dire que je lui ai livré sur un plateau.

– Et pour mademoiselle ?

– Ce sera un beau garçon, cheveux noirs, peau café au lait, yeux vert clair. Avec un ballon de basket-ball, s'il vous plaît.

– C'est pour emporter ?

– Ah non. C'est pour consommer tout de suite.

18 mai

Je ne sais pas si Ancelin est au courant que son filleul sort avec ma meilleure amie. Il faut peut-être que quelqu'un l'avertisse.

19 mai

– J'aime autant que ce ne soit pas avec toi, m'a dit Ancelin.

– Ah bon ?

– Il est gentil mais il n'a pas l'air très stable.

– Il se drogue ?

– Pas du tout. Ou alors aux petites copines.

Un maniaque sexuel. Je me demande s'il faut que quelqu'un avertisse Lola.

19 mai au soir

Avertir ou pas ? En tout cas, ce ne sera pas moi. Elle s'est sortie toute seule de l'affaire Marceau et autres interminables baisers. Elle se débrouillera toute seule avec le cinglé des petites copines.

20 mai

– Si tu refais une fête, j'invite des gens de ma classe.

– Pourquoi c'est toujours à moi de tout faire ? a demandé Lola en secouant ses crins. Tu n'as qu'à la faire toi-même, la fête. Pourquoi tu ne demandes pas à tes grands-parents ?

Elle ne sait plus ce qu'elle dit, celle-là. La grande fête de la gentillesse universelle... Elle rêve ou quoi ?

21 mai

Résultats du brevet blanc. Quinze en maths. Sept en français. Cinq en histoire-géo.

– Et si tu faisais un tout petit effort dans les matières littéraires ? m'a demandé Ancelin. Tu pourrais être brillante...

– Pour quoi faire ?

J'ai rigolé et elle m'a regardée avec des yeux ronds. Comme prof de maths, elle est super forte. Mais en discussion sérieuse, elle est super nulle.

22 mai

Il a fait du soleil toute la journée. La sécheresse arrive à grands pas. Comme d'habitude, tout le monde s'en fiche. À part quelques paysans qui parlent à la télé. Autant dire dans le vide.

Dommage que je n'aie pas plus de pouvoir sur le monde. Les choses iraient un peu mieux qu'elles ne vont. Au moins, on écouterait les phoques et les paysans.

23 mai

Les filles de ma classe mettent des habits de plus en plus courts et de plus en plus serrés. Si ça continue, elles vont venir en maillot de bain.

Pas envie de montrer mon ventre. Pas envie de montrer mes bras. Pas envie de montrer mes jambes. Pas envie de montrer rien du tout. Je suis habillée de la tête aux pieds. Il fait beaucoup trop chaud pour moi. Je déteste l'été.

JUIN
Toutes les premières fois

5 juin

Bientôt le brevet. Bientôt les vacances. Bientôt la fin du collège. Je me sens bizarre. J'ai passé cinq ans de ma vie à détester ça. Et maintenant que ça s'arrête, j'ai peur de partir. Je suis une bécasse.

Je peux peut-être encore faire un effort pour tripler.

6 juin

Pitié ! Laissez-moi au collège ! Pour une fois que je m'entends bien avec un prof, au moment précis où je me mets à parler aux gnomes de ma classe, on m'oblige à tout abandonner. Je suis forcée d'aller dans un affreux lycée qui n'est pas même sûr de vouloir de moi. Au milieu de gens que je ne connais même pas. Avec des profs drogués à la compétition qui veulent des résultats au bac.

Adieu, cher vieux collège adoré. Adieu, profs libidineux. Adieu, trolls chéris. Adieu, ma douce vie d'antan.

7 juin
Samira me trouve idiote. Elle prétend que le lycée est plus marrant que la troisième, sans compter qu'il n'y a pas d'examen en seconde et qu'on peut voir des types de terminale se promener en liberté dans les couloirs. Je me demande pourquoi je lui parle. Elle ne comprend rien. Pour elle, tout est simple. Elle a cinq frères aînés à la maison et elle est super excellente dans toutes les matières. Les gens intelligents n'ont ni peurs, ni soucis, ni regrets. Ils ont un cerveau à la place du cœur. Malheureusement pour moi, je suis une personne naïve et sensible. L'amour me ruine la vie.

9 juin
Ancelin est sûre que j'aurai mon brevet. Elle m'énerve. Elle me donne envie de le rater.

Elle n'a qu'à le passer elle-même, si ça lui paraît si facile.

– Si tu fais l'effort de relire tes cours d'histoire-géo, tu auras une moyenne excellente.

– Pour quoi faire ?

J'ai un nouveau truc avec les gens. À tout ce qu'on me dit, je réponds : « Pour quoi faire ? » Avec Ancelin, c'est facile.

– Aurore, dit-elle, tu devrais avoir un peu plus d'ambition…

– Pour quoi faire ?

J'adore sa figure quand elle est déstabilisée. Comment je vais pouvoir me passer de cette femme, c'est la grande question.

11 juin

Sale ambiance au déjeuner rituel interfamilial. Jessica est enceinte, ce qui a l'air de faire plaisir à tout le monde, à commencer par ma mère et ma grand-mère. Comme si elles ne savaient pas ce que c'est que d'avoir des enfants. Quand je pense aux histoires qu'on lui a faites pour un clou dans la langue, je m'étonne que personne ne dise rien pour un bébé dans le ventre. Un bébé. Avec la tête de Vladouch. Cette gourde de Sophie a manqué s'évanouir de bonheur à la seule idée de le tenir dans les bras. Il faudrait que quelqu'un lui dise que le Tamagotchi sera vivant et qu'on ne le rendra pas au magasin quand elle en aura marre. Comme personne n'osait, j'ai décidé de poser moi-même les vraies questions.

– Tu as pensé à tes études ?

Elle m'a regardée droit dans les yeux et elle m'a répondu :

– Pour quoi faire ?

Je sais reconnaître quand j'ai perdu la partie. J'ai plongé le nez dans mon gratin et j'ai laissé tomber le débat.

De toute façon, ils ont tout prévu. Après son congé maternité de vendeuse chez Sephora, elle sera assistante maternelle. Vladouch trouve que c'est une bonne idée. Visiblement, un gosse à la maison ne lui suffit pas. Il en veut toute une tripotée. Ce type est fou d'amour, j'en ai peur. Il la regarde en permanence avec des yeux comme des soucoupes et un sourire en tranche de melon. C'est ignoble ce qu'ils ont l'air de bien s'entendre, ces deux-là. Ça me fait froid dans le dos.

Je croyais que j'avais atteint le fond de la détestation quand mon père a fait une annonce qui me concernait directement.

– Jessica va quitter officiellement l'appartement. Et Aurore va y revenir. Ce sera plus pratique pour toi d'habiter près du lycée. Sans compter que tes grands-parents ont envie de retrouver leur vie à deux.

J'ai observé Mamie. Elle avait les yeux dans le vague, cette hypocrite.

– C'est vrai ? je lui ai demandé. Vous ne voulez plus de moi ? Qu'est-ce que j'ai fait de mal ?

12 juin

Je suis tellement traumatisée que je me demande si je vais pouvoir passer mon brevet. Non seulement je vais être tante, mais je vais devoir abandonner ma chambre à moi, ma belle chambre parme aux rideaux dorés. Un peu comme Marie-Antoinette chassée de Versailles et enfermée dans la prison du Temple. Prochaine étape, la guillotine.

Mes ancêtres se sont vaguement excusés sous des prétextes divers. Le lycée serait trop loin. Ils ont prévu de partir en voyage. Il paraît par ailleurs que mes parents rêvent de me retrouver. En gros, ils ne savent plus quoi inventer pour me mettre à la rue.

– Tu garderas toujours ta chambre ici, m'a dit Mamie d'un air coupable.

Elle m'énervait. J'ai répondu sèchement :

– Pour quoi faire ?

14 juin

Je vis des drames atroces à répétition. Dans la plus grande solitude, évidemment. Tout le monde trouve que j'ai une chance dingue : avoir son brevet, passer en seconde, aller au lycée, attendre un neveu (ou une nièce), me réinstaller chez mes parents. La farandole du bonheur…

Je suis une fille pourrie de chance dramatiquement malheureuse et incomprise.

15 juin

– Allô, Aurore ? C'est Jessica. Vladouch et moi, on veut te demander un truc. Est-ce que tu veux être la marraine du bébé ?

– Pour quoi faire ?

Si Jessica n'avait pas été Jessica, elle m'aurait raccroché au nez. Mais Jessica est ma sœur aînée. Le genre de fille qui porte à la fois un piercing à la langue et un bébé dans le ventre. Pas le genre à se dégonfler ni à pleurnicher.

– Pour faire marraine, patate.

– D'accord. Mais pas plus de deux cadeaux par an, alors.

– Et une médaille de baptême.

– Et une médaille, ça marche.

J'ai raccroché et j'ai réfléchi un bon coup. Je veux bien du bébé. Combien coûte la médaille ? C'est la question.

16 juin

Samira m'invite pour son anniversaire. Elle m'a demandé d'amener Lola.

Elle n'a pas tout compris, c'est clair. Lola a beau se prétendre éperdument amoureuse d'un type perdu de réputation, je serais étonnée qu'elle résiste à un joli garçon. Pour peu qu'elle soit en forme, elle est capable de repartir avec les cinq frères à la fois.

Je n'ai aucune vie amoureuse. Lola compense. Elle aime pour deux (au moins). Curieusement, je n'en tire pas tellement de satisfaction. Encore plus curieusement, tout en déplorant sa coupe de cheveux, il m'arrive de l'envier. Moi aussi, j'aurais pu sortir avec Filleul-de-Rêve, même relooké Dragueur-des-Terrains-de-Basket. J'ai laissé passer ma chance. Pas assez de maquillage aux yeux, sans doute.

Je suis contente d'être marraine. Surtout quand je pense que c'est moi qui suis choisie et pas Sophie. D'ailleurs, rien qu'à penser à sa tête, j'ai envie de courir acheter la médaille. Pourvu qu'on ne me demande pas de changer les couches, et tout ira bien.

17 juin

Mamie a déposé une petite boîte sur ma table de nuit. Dans la boîte, il y avait une bague avec une petite pierre jaune. À l'intérieur de l'anneau, on pouvait lire un message gravé : « À notre petite-fille chérie. » Quand même, c'est bizarre, pour des grands-parents, d'offrir un cadeau pareil. Ce n'est même pas Noël, même pas mon anniversaire. Alors quoi ? Qu'est-ce qu'ils cherchent ? Ils veulent me faire pleurer ou quoi ?

J'ai remis la bague dans la boîte et la boîte sur la table de nuit. Je refuse de m'y intéresser. Ma famille me prend la tête. Juste quand il faut que je pense à mon brevet. Ils veulent que je le rate, je ne vois que ça.

21 juin

C'est l'été. Rien de neuf sur le front de la sécheresse. Les paysans ne passent plus à la télé. Ils ont dit ce qu'ils avaient à dire, maintenant ils n'ont plus qu'à s'amuser avec leurs arrosoirs. Bonne chance, les gars.

Les filles projettent visiblement de venir à poil au collège. Aujourd'hui, on voyait la culotte (taille haute) d'Élodie Magnan dépasser de la ceinture de son pantalon (taille basse). Suis-je obligée d'être au courant de la couleur des petites culottes d'Élodie Magnan ? Je me pose la question.

J'ai passé le brevet. Même pas peur. Trois épreuves seulement. Deux petites heures chacune. Et ceux qui se plantent peuvent être rattrapés par le contrôle continu. Trop facile. Ça me donne presque envie de passer le bac. Le bac. Si j'y arrive sans redoubler, je serai une vieille marraine. Le bébé Vladouch aura trois ans. Moi, dix-huit. Mais qu'on ne compte pas sur moi pour être enceinte. Je n'ai pas de passion malsaine pour les enfants (et leurs pères).

Pour fêter l'été, j'ai remercié mes grands-parents. J'ai mis la bague à mon annulaire (elle me va pile juste), et je suis allée les embrasser. C'était un moment horrible. Nous nous aimions tellement que nous avions les larmes aux yeux tous les trois. Franchement, c'est trop d'émotions. Je déteste aimer les gens dans ces conditions. Je déteste à fond les larmes, les sentiments et tout le grand tralala.

22 juin

C'était bien la peine de se couvrir de ridicule. Bague ou pas bague, c'est pareil. Mes ancêtres sont intraitables. Il faut que je m'arrange pour déménager début juillet.

Pour être sûre que je décampe, Mamie a frappé un grand coup. Elle a pris un billet d'avion pour Delhi. Papi refuse de l'accompagner. Il reste dans ses meubles, mais apparemment il refuse de me garder.

J'ai essayé de lui dire que j'étais son lévrier préféré mais il a fait celui qui n'entendait rien. La vieille stratégie sourdingue.

Je laisse mes rideaux. De toute façon, ils n'iront pas aux fenêtres minables de l'appartement de mes parents. J'emporte ma bague, mon tableau avec le jardin, ma photo d'enfance avec Lola dans le cadre doré. Je suis une presque sans domicile fixe.

23 juin

Fin du collège le 30 juin. Résultats du brevet le 5 juillet. Déménagement le 7. Avion indien le 12. Le 13, je suis seule au monde.

24 juin

J'ai amené Lola à l'anniversaire de Samira. Elle avait convoqué Filleul-de-Rêve. À croire qu'elle ne peut plus se déplacer sans lui. Étant donné que tout le monde a des amis partout (sauf moi qui n'en ai aucun), nous avons découvert qu'il connaissait Areski, dit Frère-Interdit-Numéro-Trois. Ces deux types ont fait du basket ensemble, ou de l'informatique, ou du roller, ou fumé des clopes derrière le gymnase, je n'ai pas tout suivi. Mais enfin, l'essentiel était que nous étions complètement excités et charmés de ce hasard prodigieux (sachant que tout le monde habite le même quartier depuis quinze ans, ce qui limite la notion de hasard, mais enfin, l'idée était de s'étonner en poussant de petits hululements de satisfaction). J'étais de mon côté spécialement charmée par la présence d'Areski.

Est-ce qu'Areski n'est pas le prénom le plus superbissime qui soit à la surface de la Terre? Quand on le prononce doucement, on entend Exquis. C'est de la poésie ou je ne m'y connais pas.

Dommage qu'il rime aussi avec Interdit.

Ce type ressemble à Samira. En garçon. En plus cool. Et en moins snob. Peau mate, yeux bruns, cheveux finement bouclés, grand pif (il faut bien le dire).

J'étais à moitié morte tellement je l'aimais. J'avais aussi tellement peur que Samira m'en veuille à mort de draguer un de ses frères que c'est à peine si j'ai osé lui parler. Dans un sens, ça ne me change pas beaucoup. Je ne parle jamais beaucoup. Je suis abonnée au rôle de la fille désagréable et qui regarde méchamment par terre sans rien dire. Personne ne soupçonne que je suis un pauvre petit oiseau loyal et timide. Tout le monde me prend pour un tapir.

Comment puis-je seulement espérer qu'un garçon comme Areski pose ses splendides yeux bruns sur un tapir mutique ? Il faudrait d'abord que je me fasse relooker par une fée déshydratée à qui j'aurais filé à boire auprès d'une fontaine… Personne ne connaît une fée ? Une fontaine, à la rigueur ?

25 juin

Samira m'a appelée à dix heures du matin. Je venais à peine de sortir du lit. Quelqu'un devrait la prévenir que le dimanche est férié.

– Tu n'avais pas l'air très en forme hier.

– Ah bon ?

Les gens sont tarés. Je fais des efforts dingues pour être odieuse avec son frère et, au lieu de me remercier, elle s'étonne.

– J'aime bien ton cadeau.

– Ah oui ?

Je suis épuisée par la sollicitude de cette fille. Qu'est-ce que je pouvais lui répondre ? « Tant mieux parce que je ne me suis pas foulée » ?

Je suis entrée dans une librairie. J'ai demandé à la libraire un livre à moins de dix euros pour une fille de quatorze ans. La bonne femme était trop contente de tomber sur une cliente. Elle m'a posé dix mille questions auxquelles je n'ai pas su répondre. Comme si j'étais au courant de ce que

Samira aime lire, a déjà lu, a envie de lire et autres billevesées... J'en avais tellement marre qu'elle me bassine avec des fiches de lecture de bouquins que je ne lirai jamais que j'ai attrapé celui qu'elle avait dans la main.

– Celui-là ! Je prends celui-là !

Elle a eu l'air déçue que je mette un stop à la discussion. Mais bon, je n'ai pas que ça à faire, de l'écouter. Moi aussi, j'ai une vie. En payant, j'ai regretté d'avoir choisi si vite. C'était le plus cher. En même temps, c'était le plus gros. Mais au final Samira était contente. Et au moins, elle ne l'avait pas lu.

J'ai bien vu dans son regard qu'elle était stupéfaite de mon choix. Elle s'attendait à quoi ? À l'horoscope du Cancer ? Elle me prend pour une débile, c'est clair. L'avantage, c'est qu'il ne faut pas grand-chose pour que je remonte dans son estime. Je devais être assez haut parce qu'elle a fait un truc inimaginable. Elle m'a posé une question.

– Est-ce que tu veux venir au concert samedi prochain ?

– Ça dépend. Quel concert ?

Pour une fille qui n'est jamais allée à un concert de sa vie, j'ai réussi à prendre une voix atrocement blasée.

– Areski joue de la basse dans un groupe.

– QUOI ?

Fin de la voix blasée et autres grands airs supérieurs. Bienvenue dans l'hystérie pure.

– Un concert. Avec Areski. Samedi prochain.

– Et si je dis oui ?... Tu m'en voudras à mort ?

– Essaie toujours. On verra.

Là-dessus, elle a raccroché. Morale de l'histoire : il suffit que je la boucle et que je regarde férocement par terre pour intéresser le Frère Interdit. Mystère de l'amour. Victoire du tapir.

26 juin

Première fugue. Première fête. Premier concert. Et je n'en suis qu'à la moitié de l'année... C'est fou.

27 juin

Je ne pense plus à rien. Adieu, résultats du brevet. Adieu, seconde flippante. Adieu, vieux collège adoré. Je me fiche de tout. Je ricane stupidement toute la journée. Et je n'arrive même pas à me dire que je suis contente. Je suis juste atrocement stressée.

28 juin

Comment je vais m'habiller ?

Comment je vais m'habiller?

Comment je vais m'habiller?

Cette fois, je me maquille les yeux. Et pas un peu.

29 juin

Je suis inscrite au lycée. Mais je ne sais pas encore si je vais y aller. Très drôle, non? Si seulement quelqu'un pensait à me demander mon avis... C'est quand même étrange de ne jamais décider de rien. Tout le monde décide pour moi. Tout le monde sauf moi. Personne ne devrait avoir envie d'être jeune.

Je me demande ce que je déciderais si j'avais le choix. D'aller au lycée, probablement. C'est bien ça le pire, je n'ai aucune alternative.

J'ai fait mon possible pour trouver un lycée super loin de chez moi. J'ai envisagé option chinois. Puis option hébreu. Puis option cirque. À chinois, mon père a levé le sourcil.

– Pour une fille doublement mauvaise en anglais et en espagnol, je ne vois pas ce que tu gagnerais à faire du chinois.

À option hébreu, il m'a demandé si je savais où on parlait hébreu.

– Pour une fille assez nulle en géographie pour ne pas savoir dans quel pays on parle l'hébreu, je ne vois pas l'urgence d'apprendre la langue.

À option cirque, il a jeté les bras au ciel.

– Mais enfin ! Tu refuses de faire du sport depuis le CP ! Qu'est-ce que tu ficherais dans un cirque ?

– Clown, figure-toi. Tout le monde ne peut pas faire portier dans un hôtel...

– Un grand hôtel ! Et tais-toi ou je te fiche dehors !

Résultat, je ne fais pas d'option. Je vais au lycée à côté de la boulangerie. Mes ambitions sont réduites à zéro. Je n'ai pas d'avenir professionnel.

30 juin

Un putride parfum de vacances plane sur le collège. Messeigner est venue faire cours en débardeur. Elle a un tatouage sur l'épaule. Je serais curieuse de savoir ce qu'en pense Souiza.

Je me demande par ailleurs si on a le droit d'enseigner avec un crâne tatoué sur l'épaule. Sûrement pas à des troisièmes. Et sûrement pas entre deux tibias croisés.

Demain, concert.

JUILLET
Retour à la case départ

2 juillet

Je n'ai pas invité Lola. Il ne faut pas me prendre pour une pomme. Surprise, elle était là quand même, traînée par Filleul-de-rêve. Elle avait les yeux violets, option femme battue, droguée et insomniaque. À côté, les miens avaient l'air naturels Les vrais yeux authentiques d'appellation contrôlée.

Pour être sûres de ne pas arriver en retard, on s'est pointées bien à l'avance, Samira et moi. J'ai pu m'asseoir par terre pendant des heures et regarder le groupe installer tout son petit matériel. Je me demande comment je ne suis pas morte d'ennui. Areski avait douze mille choses à faire, et pas une seconde pour s'intéresser à sa petite sœur et autres amies minuscules. C'est effrayant ce qu'il faut brancher de fils juste pour faire de la musique. Enfin bref, au bout d'une éternité, les gens ont commencé à arriver. Il n'y avait pas beaucoup de vieux. Même les parents avaient séché. Les seuls vieux qui avaient fait le déplacement étaient habillés comme des jeunes mais ils étaient faciles à repérer. Partout où il va, le vieux se repère, même de dos. Pauvre vieux.

Quand la salle a été pleine (soit une bonne heure après l'heure prévue), la musique a commencé. «Musique» est largement exagéré. Je n'ai pas suivi les paroles. Impossible de savoir s'ils chantaient en anglais ou en français. Ils faisaient tellement de bruit que j'avais envie de tomber par terre et de mourir. Devant l'estrade, des filles sautaient sur place comme des enragées. Il y avait aussi quelques garçons et Filleul-de-rêve n'était pas le dernier. C'était horriblement gênant.

Dans l'ensemble, le concert était atroce et je déteste le rock plus que tout au monde. La seule chose intéressante était de voir Areski accroché à sa basse. Rien n'est plus sexy qu'un beau garçon qui joue de la basse, même dans un groupe de rock. C'est malheureux que celui-là se soit planqué derrière les amplis. On ne le voyait presque pas. Et quand on le voyait, il avait la tête baissée sur sa guitare. La scène était encombrée par un chanteur qui se la pétait à mort, un guitariste qui se la pétait à mort et un batteur qui se la pétait à mort. Le gâchis. À la fin du concert, j'avais les oreilles comme des marshmallows cuits.

– Viens, on va dire bonsoir à Areski, m'a dit Samira.

– PARLE PLUS FORT, j'ai hurlé. J'ENTENDS RIEN.

Il a fallu se précipiter vers la scène au milieu des admiratrices échevelées et autres copains de derrière le gymnase. Areski était en train de débrancher ses douze mille fils pendant que les autres faisaient les malins au milieu des groupies. Je me suis approchée et j'ai crié :

– FORMIDABLE, EXCELLENT.

– Pas la peine de hurler, a fait Areski. Content que ça t'ait plu.

– GÉNIAL.

Le mieux, quand on déteste, c'est de dire qu'on adore. Pas mal comme nouvelle stratégie, non ? L'exagération délirante marche à tous les coups. Sous prétexte de compliment, n'importe qui est prêt à avaler n'importe quelle ânerie géante.

– On en fait un autre dans quinze jours. Il faudra que tu viennes.

– MERCI. C'EST TROP BIEN.

Il m'a regardée d'un air inquiet. Visiblement, il ne savait pas comment se débarrasser de cette fille hurlante. Il s'est jeté sur moi avec une sorte de désespoir et il m'a fait la bise. Ensuite, on est rentrées, Samira et moi. Il restait encore pas mal de monde dans la salle, mais j'étais atrocement découragée.

Est-ce qu'une fille manipulatrice, sourde et qui déteste le rock peut espérer quelque chose d'un bassiste séduisant qui l'invite à des concerts ? Encore une histoire mal barrée.

3 juillet

À quoi bon se maquiller comme un babouin pour aller s'enquiquiner dans le noir à des concerts assourdissants ?

4 juillet

Tout me rend triste. Devoir partir de chez mes grands-parents. Ne pas oser leur dire que je suis désespérée. Ne pas avoir salué Ancelin en quittant le collège. Ne pas lui avoir offert de cadeau d'adieu. N'avoir même pas demandé son adresse. Tomber amoureuse d'un garçon qui joue de la daube.

Je pleure à longueur de journée, mais c'est à cause de l'ozone. Je suis la victime innocente du dérèglement climatique, de la pollution urbaine et de l'amour.

Je suis tristissime.

Quelle existence merdique.

5 juillet

Mention bien. J'ai relu le papier trois fois. C'était écrit trois fois : mention bien. À moins d'une erreur tragique ou d'une blague administrative, je suis brevetée et mentionnée.

J'ai espéré quelques minutes que ma famille me félicite dignement (fleurs, champagne, illuminations). Mirages de l'optimisme. J'ai eu droit à quelques remarques basiques (du type : « Bravo, ma chérie »). Et tous les remerciements sont allés à mes grands-parents. Une procession familiale menée par mon père s'est déplacée pour aller honorer mes ancêtres dans leur retraite. Offrandes de bouquets et de verres de porto divers. Mamie avait préparé le traditionnel rôti-purée des jours de festivités.

– Jamais nous ne vous remercierons assez pour tout ce que vous avez fait... a bredouillé mon père.

Embrassades et autres fariboles. On aurait juré que c'étaient les deux vieux qui avaient décroché la mention. À force de congratulations, Mamie a fini par se rendre compte que je me tenais discrètement dans un coin et que personne ne s'intéressait à moi.

– C'est Aurore qu'il faut féliciter, a-t-elle dit.

Mes parents se sont donc tournés vers moi en levant leurs verres. Mais c'était trop tard. Je n'avais plus envie de félicitations. J'avais envie d'un peu d'animation.

– Est-ce que vous êtes obligés de profiter de toutes les occasions pour vous soûler ? Vous auriez pu faire une exception pour mon brevet. Je suis quand même la première mention de la famille.

Personne n'a essayé de me répondre. Ils se sont contentés de se détourner et de continuer à discuter entre eux, le verre à la main. L'esprit sportif se perd dans cette famille. Plus aucune réactivité. J'en avais tellement marre que j'ai allumé la télé. Vu le bruit qu'ils faisaient, il a fallu que je monte le son. Mais on m'a forcée à le baisser. Pour une fille qui venait d'obtenir son brevet, je me suis sentie carrément niée.

6 juillet

Mamie met ses affaires dans une valise à roulettes. Je mets les miennes dans des caisses en carton.

– Eh bien, ma chérie ? C'est une nouvelle étape pour toi comme pour moi, m'a-t-elle dit avec son sourire bonasse.

Je ne me suis même pas énervée. J'avais trop envie de pleurer, rapport à l'ozone. Elle a dû le deviner parce qu'elle m'a demandé très gentiment :

– Tu veux emporter un portrait du dalaï-lama ? Choisis celui que tu veux, je te le donne.

J'ai pris le dalaï classique. On voit juste sa tête ronde et ses petits yeux qui brillent derrière ses lunettes. Je vais l'accrocher dans ma nouvelle ancienne chambre. Et le premier qui se moque de lui, je le tue.

7 juillet

Mes parents sont venus m'embarquer, moi et mes caisses. C'était bizarre de faire la bise à mes ancêtres comme si rien ne s'était passé. La parenthèse s'est refermée. Tout est redevenu exactement comme avant.

Je me suis réinstallée dans ma chambre. J'ai viré la planche à repasser et le panier de linge que Maman avait plantés au milieu, je ne tiens pas un Lavomatic. J'ai planté deux clous dans le mur, un pour le dalaï-lama et un pour le jardin en été. J'ai rangé la photo de Lola dans le tiroir de mon bureau. Elle m'énerve trop, celle-là. Je sortirai son portrait quand elle se sera fait lourder.

Après, je me suis plantée devant la télé. Vacances : dessins animés et séries américaines à tous les étages. J'ai regardé pendant quatre heures sans interruption. Après, j'avais très envie de faire pipi et Maman est rentrée du travail.

Alors je suis allée dans ma chambre et j'ai cherché des trucs sur l'ordinateur. Si seulement j'avais l'âge de travailler, je pourrais m'acheter des jeux. Pour le moment, j'ai juste le droit de m'ennuyer.

8 juillet

Mamie m'a appelée de l'aéroport. Elle m'a souhaité de bonnes vacances, mais je suppose que c'était ironique. Elle a dit qu'elle me rapporterait de l'encens, du vrai encens comme là-bas. J'espère que c'est une plaisanterie.

Jessica a déménagé hier. Elle est partie glorieusement vers son avenir avec deux caisses de fringues, son mari polygame et mon filleul dans le ventre. Elle n'avait pas l'air triste de quitter l'appartement où elle a passé toute sa jeunesse. Cela dit, Maman n'avait pas l'air triste non plus. Sa fille avait à peine fermé la porte qu'elle a collé sa table à repasser et son panier de linge dans la chambre vide. Victoire du Lavomatic. Personne n'était triste, sauf moi. Je suis l'erreur génétique de cette famille de brutes.
Sophie est partie ce matin. Elle est invitée quinze jours chez une copine. Malheureusement, elle va

revenir, elle. Quinze jours. Ça laisse au moins le temps de fouiller dans ses affaires, même si je n'espère pas vraiment découvrir quoi que ce soit d'un peu intéressant.

Je suis seule.

Sinon, rien.

9 juillet

« Chère madame Ancelin,

Je n'ai pas eu le temps de vous dire au revoir à la fin du collège parce que j'avais beaucoup de soucis. C'est donc la raison pour laquelle je vous écris, pour vous dire au revoir, et aussi que j'ai eu le brevet avec une mention bien. Je ne suis pas complètement idiote, je sais très bien que sans vous, je n'aurais pas eu de mention, et même pas de brevet du tout. Vous êtes très bizarre pour un professeur, et surtout pour un professeur de maths, ce qui fait que j'ai eu de la chance de vous rencontrer, parce que je me sens très bizarre aussi. J'ai l'impression que les professeurs de lycée n'ont rien de bizarre, ce qui fait que je n'ai pas très envie d'aller au lycée. Mais j'irai quand même, ne soyez pas inquiète, de toute façon je n'ai pas le choix.

J'espère vous revoir un jour, ce qui prouve que j'ai au moins une ambition dans la vie.

Aurore. »

J'ai décidé de recopier le brouillon de mes lettres. C'est trop bête de se fatiguer à écrire des lettres pour une seule personne et sans être sûr qu'elle vous répondra. Au moins, si quelqu'un lit mon journal après ma mort, il aura des informations sur ma correspondance.

Peut-être que je devrais faire un blog pour mettre ma lettre.

Maintenant, il faut encore que je trouve une enveloppe et un timbre. La vieille méthode.

12 juillet

Mes parents sont trop snobs pour les bals du 14 Juillet. Ou trop vieux. Ils n'aiment ni les drapeaux, ni les pétards, ni la foule dans la rue. Ce qu'ils aiment, c'est la tranquillité pépère. C'est fou ce qu'on apprend sur ses parents quand on vit seule avec eux.

Comme ils sont opposés au 14, ma mère a décidé de faire une sortie familiale le 12. Elle a préparé un pique-nique en sortant du boulot, avec des cuisses de poulet et des chips. Mon père n'a pas pris de service de nuit. Et nous sommes allés dîner tous les trois, assis par terre au bord du canal.

Par chance, ils ont choisi un coin un peu planqué où personne ne pouvait nous voir. Il ne faisait plus si chaud. Le canal avait une couleur verte répugnante, mais je me suis assise en lui tournant le dos.

Maman a levé son verre à la paix dans le monde, et papa a trinqué avec moi au protocole de Kyoto contre le réchauffement. Ils étaient tellement gentils que j'ai eu une hallucination : je les ai vus en train de se transformer en mes grands-parents. C'était une hallucination réaliste, vu que grands-parents, ils le seront bientôt grâce à mon filleul. C'est moche de voir ses parents vieillir. Une mère bouddhiste et un père sourdingue.

Il va falloir s'habituer.

13 juillet

Dans une vie idéale, le téléphone ne sonne pas dans le vide, et Samira décroche, et nous allons toutes les deux au bal du 14 Juillet, et nous croisons par hasard son frère dans la rue, et il nous propose de rester avec nous, et nous partons danser tous les trois.

Samira, c'est moi ! Décroche par pitié !

14 juillet
Je n'ose même plus appeler. Cinquante-sept appels en deux jours, ça s'appelle du harcèlement, et je sais de quoi je parle. De toute façon, personne ne répond. Soit ils sont sourds, soit ils sont morts.

15 juillet
– Je dormirai chez Lola.

Ils n'ont pas demandé à quelle heure nous allions rentrer. Ils ont décidé de me faire confiance. Mes parents vieillissent, ça se confirme.

Lola est venue me chercher à huit heures.

Deux heures après, nous étions habillées et maquillées. Encore une demi-heure pour attendre Filleul-de-Rêve, puis une autre demi-heure pour avaler une pizza molle en regardant vaguement des gens s'insulter à la télé. C'était très gênant et j'avais envie de changer de chaîne, mais Filleul-de-Rêve aimait bien les insultes, les cris et tout le cirque.

Miracle de la télé : allez-y, les gars, comportez-vous comme des porcs, tout le monde vous regarde !

– Qu'est-ce que vous faites ce soir ? a demandé le père de Lola, j'ai regardé l'horloge et il était onze heures.

Lola voulait aller au bal des pompiers, Filleul-de-Rêve voulait bien la suivre et moi j'avais juste envie de me coucher. Nous sommes enfin partis à onze heures et demie. Je ne voyais plus très bien l'intérêt de sortir, mais il paraît que je n'y connais rien. Les bals, ça commence à minuit, comme tout le monde sait. Si Cendrillon avait été la copine de Lola, elle serait toujours en train de passer l'aspirateur chez sa marâtre.

Je ne vois même pas pourquoi je raconte cette soirée parfaitement nulle. Lola et Filleul-de-Rêve n'étaient d'accord sur rien, ni sur l'achat d'une canette de Coca (« Non, pas tout de suite, il y a trop de monde au bar, de toute façon je préfère l'Oasis, etc. »), ni sur le bal (« La musique est nulle, c'est toi qui es snob, arrête de me marcher sur les pieds, etc. »). J'avais le choix entre les écouter se disputer ou les regarder s'embrasser. À minuit et demie, tout le monde s'amusait follement et j'avais envie de me pendre. Je suis rentrée chez moi.

– Tu as dit que tu dormais chez moi, a protesté Lola.

– Oui mais non.

– Va au diable, toi et tes fiancés à répétition, j'ai dit entre mes dents avant de mettre les voiles.

Jusqu'au moment où j'ai ouvert la porte de mon immeuble, j'ai bêtement imaginé que j'allais rencontrer Samira par hasard. Ou même Areski. Mais je n'ai rencontré personne et je me suis couchée complètement démoralisée. Trop d'espoir tue l'espoir. Le prochain 14 Juillet, au pieu et dodo.

16 juillet

J'inspecte le courrier tous les jours. Tous les jours rien. Ancelin n'a pas l'intention de me répondre. Ça ne m'étonne pas vraiment. Pourquoi répondre à une redoublante caractérielle et sans ambition ?

Pourquoi ?

17 juillet

Pour finir, c'est moi qui me suis pris l'engueulade. On croit rêver.

– Évidemment que personne ne décroche ! a fait Samira de sa voix de maîtresse d'école. Ils sont tous au boulot !

– Oui mais toi ? Tu n'es pas au boulot, toi ?

– J'étais en stage toute la semaine.

– En stage ?

– J'ai passé mon brevet de secouriste.

Quand je pense que j'ai failli me casser la jambe à

ses pieds... Quelle erreur! Si elle soigne les gens comme elle leur parle, je plains les malheureux! Le jour, chez Samira, tout le monde est trop occupé pour répondre au téléphone. Le soir, tout le monde est trop fatigué pour avoir envie de décrocher.

Allez mourir, les amis, il n'y a plus personne au bout du fil!

Comme c'était elle qui m'appelait, étant donné que le stage était fini et la stagiaire diplômée, j'ai quand même osé demander la raison de son appel.

– C'est Areski qui me dit de te dire qu'il fait un concert dans trois jours. C'est en plein air, dans un parc. Si tu veux, on ira ensemble.

J'avais moyennement envie de voir Samira et pas du tout envie de me taper le concert. Mais très envie de hurler quelques nouveaux compliments à l'oreille de son frère. J'ai donc habilement rusé en proposant de la retrouver sur place. Comme ça, je peux arriver super en retard. Toute la ruse étant d'échapper à la musique et de choper le musicien.

18 juillet

Je n'aurais pas dû lui écrire qu'elle était bizarre. Elle s'est vexée. C'est dingue comme les gens sont susceptibles. Surtout les profs.

19 juillet

Permission de sortie accordée pour le concert. Merveilleux parents d'une fille unique temporaire ! Pour remercier, j'ai rangé ma chambre et la salle de séjour, j'ai nettoyé les deux vieilles casseroles qui traînaient dans l'évier et j'ai même raté un gâteau au chocolat dans lequel j'avais mis des flocons d'avoine pour voir ce que ça ferait. Le résultat est sans appel.

Ça fait un gâteau raté, c'est tout.

20 juillet

Je suis arrivée dans le parc avec une bonne heure de retard. J'ai eu un peu de mal à trouver l'endroit parce qu'on n'entendait rien du tout. J'ai cru un moment que le concert était fini. Il n'avait pas commencé. L'élu de mon cœur branchait toujours des fils dans des câbles. Samira était assise par terre sous un arbre. Je suis allée m'asseoir à côté d'elle, elle n'a même pas fait un effort pour avoir l'air contente. Cette fille en a atrocement marre des concerts de rock, c'est clair. Nous étions tristement effondrées au pied d'un vieil arbre quand elle m'a soufflé :

– On se barre et on revient à la fin.

– Mais si on se fait repérer ?

– Laisse tomber. Il ne voit rien quand il joue.

On a filé jusqu'au café sur le boulevard et on a pris deux Coca pour la modique somme de douze mille euros. J'ai payé, trop soulagée d'échapper au bruit atroce qu'on entendait de loin.

– Qu'est-ce que tu fais en août ? m'a demandé Samira en touillant dans son verre avec sa paille.

– Je reste avec mes parents. Ils ne partent pas cet été.

– Tu veux venir au camping ? On dormira à deux dans ma tente. Si tu supportes ma famille...

– Je ne la connais pas, ta famille.

– Tu connais ma mère et Areski.

– ARESKI ?

– Arrête de hurler, je ne suis pas sourde.

Ensuite, nous sommes retournées au parc pour voir Areski retirer les fils, rouler des câbles et les ranger dans des boîtes.

– Alors ?

– Super, a dit Samira.

– Vachement bien, ai-je dit. GRANDIOSE. SUBLIME. GÉANT.

Il a rigolé.

– Si vous croyez que je ne vous ai pas vues vous barrer...

J'ai eu très chaud.

Mes oreilles rouge brique cramaient doucement.

– Tu nous espionnes maintenant ? a crié Samira, l'air fou de rage (hurler est la bonne stratégie quand on a complètement tort).

– Pas la peine de t'énerver, a fait Areski. Moi aussi, j'en ai marre de ce groupe. C'est de la bouillie. De toute façon, je n'aime pas le rock. Ça me soûle.

Là-dessus, il nous a dit au revoir parce qu'il avait encore un tas de trucs à ranger. Quelque chose genre « Salut les filles, c'était sympa de venir ». Il ne m'a pas fait la bise. Si ce type n'aime pas le rock, il ne m'aime pas non plus, c'est clair.

Je suis en train de vivre le mois de juillet de toutes les désillusions.

Personne ne m'aime, c'est malheureusement une évidence.

22 juillet

Ses parents sont d'accord, mes parents sont d'accord, nous sommes d'accord, tout le monde est d'accord pour que j'aille passer une semaine au camping.

Je crois me souvenir que je hais le camping.

23 juillet

Il y avait quelque chose pour moi dans le courrier.

Une carte postale de Thomas Jabourdeau, postée de Mexico. On voit des immeubles et un peu de ciel, c'est super moche. Le texte est super bête : « Amitiés de Mexico où je passe de bonnes vacances. Thomas Jabourdeau (qui n'oublie pas qu'il est un imbécile) » C'est très bizarre d'espérer une lettre d'Ancelin et d'en recevoir une de Jabourdeau. N'empêche que je suis contente que quelqu'un pense à moi quelque part dans le monde. Ma vie est un tel désert sentimental que tout est bon à prendre. Gracias, vieux Jabourdeau.

J'ai accroché la carte au-dessus de mon bureau. Maman a pris des airs très malins en faisant semblant de croire que ce type était amoureux de moi. Je suis dégoûtée de tout.

AOÛT
Félicités des campings

4 août

Ma mère a emprunté un duvet à une copine de boulot. Elle est contente parce qu'il est très chaud. C'est vrai, il suffit de le regarder pour transpirer. Second motif de satisfaction : il est bourré de plumes à l'ancienne (et pas d'horrible mousse synthétique moderne). On s'en aperçoit tout de suite. Le truc perd ses poils de partout, sous forme de petits machins blancs volants qui font tousser.

Les vacances s'annoncent bien.

7 août

Qui aurait pu deviner que ma mère était une sorte de championne du monde des copines ? Elle en a trouvé une autre pour lui prêter un sac à dos. Je l'ai essayé. Ce sac à dos est le grand-père de tous les sacs à dos. Il est trop grand, trop moche et abîmé de partout.

– Alors ? a-t-elle fièrement demandé.

– Vieux et moche, ai-je répondu.

Et comme elle me regardait fixement :

– Mais sympathique.

Ma vie étant ratée de A à Z, j'ai décidé de tout prendre avec bonne humeur.

8 août

Jusqu'à quand ma mère se sentira obligée de vider mon sac à dos pour vérifier que j'ai emporté le nombre de culottes réglementaire ?

9 août

J'ai toutes les informations en main. Nous partons samedi en voiture, avec ma nouvelle famille. Devant, nouveau papa et nouvelle maman. Derrière, nouveau frère et nouvelle sœur. Et moi. C'est tout. Les autres frères sont trop vieux pour partir avec nous.

J'ai décidé que je n'étais pas amoureuse d'Areski. Je m'étais monté la tête. Dès que j'arrête de voir Lola, je ne me sens plus obligée de tomber amoureuse de n'importe qui. Je suis influençable, c'est mon problème. Areski est juste un type normal et nous sommes juste une chouette famille normale qui part en vacances au camping. Au camping ? Au camping. Argl.

Non, je ne t'emporte pas, cher petit journal. Je n'ai aucune envie d'écrire du mal de Samira, allongée sur le sol, à la lueur d'une lampe de poche, et sous son nez. Sans compter qu'elle me fera la tête jusqu'à ce que je lui donne le droit de lire ce que j'écris. Écrire son journal au camping est un suicide social.

Le problème est de savoir où te cacher pendant mon absence. Je connais la mère qui hante cet appartement. Dès qu'il s'agit de ses propres filles, cette femme est saisie de curiosité délirante. Elle va retourner ma chambre jusqu'à ce qu'elle trouve et qu'elle lise. Laisser son journal à sa mère est un suicide familial.

Le mieux est de te cacher avec discrétion. Planquer soigneusement même un total n'importe quoi, c'est comme coller dessus un panneau lumineux clignotant : « Attention ! Révélations Tabous et Autres Secrets !!! » Comme tout sera fouillé sous prétexte d'être nettoyé, le mieux est d'agir habilement. Je vais te glisser au milieu de mes cours de l'année dernière. Qui soupçonnera qu'une fille comme moi cache son bien le plus précieux au milieu de ses brouillons d'anglais ? Pas ma mère, c'est clair.

J'ai l'impression d'être un vieux navigateur du Moyen Âge qui part pour l'Inde ou l'Amérique ou je ne sais pas quoi de très loin et de très inconnu.

J'ai la trouille. Il faudrait peut-être que je fasse mon testament avant de partir. On ne sait pas ce qui peut m'arriver. Le pire, probablement.

10 août

Ma mère m'a forcée à acheter un maillot de bain. En refaisant mon sac pour la troisième fois, elle a découvert que l'ancien était moche, trop petit et usé aux fesses. Elle l'a secoué devant moi d'un air scandalisé.

– Tu ne vas pas mettre ça?

– Non.

C'était la vérité. Je ne compte pas tellement me mettre en maillot de bain. Ou alors le soir, quand il fera déjà sombre et que personne ne me verra. Je n'ai pas très envie d'exposer ma peau au regard de n'importe qui. Ni au soleil d'ailleurs, tout le monde sait qu'on attrape des maladies. Et si je suis obligée de me mettre à l'eau, je garderai le tee-shirt. Je l'ai déjà fait, je ne vois pas ce qui m'empêchera de le refaire. C'est un droit de l'homme, de patauger couvert. Je n'empêche personne de se baigner à poil.

Le pire du maillot de bain, c'est de l'essayer. Tout est atroce. Enlever ses vêtements en pleine journée. Garder sa culotte sous le maillot, avec les bords blancs qui dépassent. Se regarder dans la glace déformante. Tout ça sous un néon vert qui vous transforme en blanc de poulet périmé. On voit la trace violette de ses chaussettes, la trace rose de son soutien-gorge, on voit sa peau beige. On a froid, on a honte et on a un cafard dingue.

Mon nouveau maillot de bain est un une-pièce noir. La culotte descend jusqu'au milieu des cuisses. La brassière a des bretelles très larges qui remontent un peu sur les épaules. Le ventre et le dos sont bien couverts. Dommage qu'ils ne le fassent pas avec capuche.

– Si elle est contente avec ça, a soupiré ma mère, on le prend.

La vendeuse n'a rien dit, elle me regardait d'un air consterné. Je me suis rhabillée à toute vitesse. Nouveau maillot de bain, mon ami, je t'adore.

11 août

Le grand-père de tous les sacs à dos est fermé avec une antique ficelle. Grâce à ma mère, il n'y manque ni brosse à dents, ni dentifrice, ni tongs, ni culottes. Le duvet tousseur a été attaché par-dessus. Bien roulé sur lui-même, il ne laisse plus échapper que quelques modestes petites poussières irritantes. Je crains le moment où je vais le détacher. Festival d'envol de plumes à prévoir.

12 août

Dernier coup d'œil au courrier du matin. Rien. Je regrette à mort d'avoir écrit à Ancelin. Ça m'apprendra à fayoter.

13 août

Ceci est mon journal de camping écrit clandestinement sur mon bloc de papier à lettres. Ma vie est trop stressante. Il faut que je balance pour décompenser. Sans compter que, si je n'écris pas, je vais tout oublier. Et la prochaine fois qu'on m'invitera au camping, je dirai oui.

Comptes rendu de ce premier demi-jour : nous arrivons en fin d'après-midi. Chapitre un : les parents et Areski plantent la tente familiale, la grande, celle avec la terrasse devant. Chapitre deux : Samira et moi et Areski plantons la tente des filles, la petite, celle qui n'a ni ailes ni terrasse ni rien du tout. Chapitre trois : Areski fait une overdose de plantage de tentes et s'enfuit, soi-disant pour retrouver des potes de l'année dernière. Il risque d'en avoir pour un bout de temps.

En fait de camping, nous avons atterri dans une mégazone de tentes, de caravanes et de mobil-homes. D'un côté, la mer. De l'autre, la route. Inutile d'essayer de fuguer, les gars, vous êtes cernés!

Nous avons une place près des sanitaires. L'avantage, c'est qu'il n'y a pas à marcher des heures. On a tout le nécessaire à portée de pied, les toilettes, les douches, l'eau pour la vaisselle et l'eau pour la lessive. Ça laisse rêveur, je sais. L'autre avantage concerne l'actualité. Impossible de rien louper, tout le camping défile à longueur de journée sous nos yeux. Maintenant l'inconvénient: claquements de portes, bruits de douches, éclats de conversations, et autres nuisances sonores vingt-quatre heures sur vingt-quatre.

Je ne défais pas mon sac parce qu'il n'y a pas de place sous la tente pour ranger ses affaires. Je m'assieds par terre devant la fermeture Éclair, l'air morose et le regard fixe. Et c'est là que je remarque deux choses: la poussière et la pente. Je répète: notre tente est plantée en pente dans un amas de poussière. Je ne proteste pas, je ne tiens pas à passer pour la râleuse de service. S'il faut râler, je préfère que ce soit Samira qui commence. Je ne suis que son invitée, après tout.

Les parents ont emporté toutes les provisions de la semaine dans la remorque attachée derrière la voiture.

– Je n'ai pas envie de passer mon temps à faire des courses, a remarqué Mme Samira en déballant. Moi aussi, j'ai le droit de me reposer.

Voilà une femme qui sait mériter ses vacances. Elle a préparé tous les dîners de la semaine avant de partir. Ils sont dans des boîtes en plastique rangées dans des glacières. Elle n'a plus qu'à les sortir.

Ce n'est pas elle qui servirait de la pizza à moitié décongelée, de la salade de riz au sable ou du poulet fumé sous vide. Elle envoie son mari au barbecue pour cuire les saucisses (qu'elle a faites elle-même) et elle ouvre la boîte de salade d'aubergines (faite elle-même), la boîte de salade de persil (faite elle-même), la boîte de purée de pois (faite elle-même), le sac de crêpes à l'huile d'olive (faites elle-même). Quand elle la regarde, Samira pince les lèvres et lève au ciel des yeux exaspérés. Je suppose que c'est parce qu'il s'agit de sa mère. Mais comme cette mère n'est pas la mienne, j'adore la voir ouvrir ses boîtes. Je la trouve parfaite. Madame Samira, vous êtes un génie de la bouffe. Une question toutefois : est-ce qu'on peut devenir obèse en une semaine ?

Parler de nourriture, c'est tout ce qui me reste. Areski n'a pas l'air décidé à passer ses vacances avec nous. On ne l'a pas revu depuis l'épisode de la tente.

Il traîne peut-être avec ses copains de l'année dernière. Ou il joue aux boules en buvant un pastis. Ou il est déjà noyé, qui sait ?

14 août

Il est assez difficile d'écrire sans se faire piquer par Samira. Le mieux, c'est de s'enfermer aux toilettes, d'écrire sur ses genoux et de laisser tambouriner à sa porte.

Rien de très intéressant à dire. J'ai glissé toute la nuit en essayant de me retenir à mon duvet. À la fin de la semaine, j'aurai le dos en miettes, et je ne parle pas de mes nerfs. Entre l'inhalation de plumes et de poussière, j'aurai aussi les poumons pourris. C'est fou ce que les gens se rendent aux toilettes la nuit, font la vaisselle la nuit, s'engueulent la nuit. Autant dire que j'ai fait une croix sur le sommeil.

Je me demande si quelqu'un qui mange énormément peut se passer de sommeil. Réponse samedi prochain.

Ce matin, nous sommes allées à la plage. Samira a un deux-pièces imprimé ananas. Ce qui fait un ananas complet sur chaque sein et un gros ananas sur le derrière. Je me demande à quoi elle pense quand elle achète ses maillots de bain. L'après-midi, nous avons joué aux cartes.

Areski est revenu au tipi familial. Il nous parle aimablement. Il a même proposé de venir se baigner avec nous. Samira a dit non (c'est son frère). J'ai dit non (je ne veux pas qu'il me voie en maillot de bain). Du coup, il est reparti jouer au volley avec ses copains. Ce type passe sa vie avec ses copains. Les filles ne l'intéressent pas une seconde, c'est l'évidence.

15 août

Même en faisant attention, on finit par trouver du sable dans ses aubergines. Ce sont les petites joies simples du camping, le sable qui crisse sous la dent et les conversations privées de cent mille personnes inconnues.

J'ai des coups de soleil sur le front, les coudes et les mollets. En gros, tout ce qui dépasse du maillot de bain.

Samira a trouvé le moyen de faire amie-amie avec notre voisine de tente, Hélène, une Suisse. Les conséquences n'ont pas tardé. Il a fallu aller se baigner ensemble. S'allonger par terre dans le sable ensemble. Jouer aux cartes ensemble. Bavarder joyeusement ensemble. Manger des biscuits au sable ensemble.

Je n'arrive pas à m'intéresser a cette fille, aux cartes, aux joyeuses conversations. Je suis blasée de tout. Je passe mes journées à faire de la résistance. Je résiste au sable, à la poussière, au soleil et aux nouveaux amis. Je range mes affaires dans mon sac cinquante fois par jour.

Ce soir, il y a animation à côté de la pizzeria. C'est un peu le gros projet de la semaine. Bien sûr, on va y aller tous ensemble.

Le vrai truc du camping, c'est qu'il est impossible de se retrouver tout seul. On tombe sur des gens absolument partout. On se cogne dedans. On marche dessus. Les rares moments où on ne les voit pas, on les entend. Je ne sais pas ce qui me fatigue le plus, le son ou l'image. Dans le fond, je suis peut-être déprimée.

16 août

J'ai oublié quel jour on est. Il faut que je compte sur mes doigts pour retrouver. J'ai l'impression que nous sommes là depuis cent ans. Et toutes mes affaires sont sales.

Une soirée avec animation est un rassemblement douteux de gens qui ont perdu le sens du temps, et tous les autres sens en même temps (élégance et pudeur spécialement) Un type de quarante ans avec une vieille guitare monte sur la petite scène en béton. Il brame des chansons inaudibles dans une épaisse fumée, accompagné par le grésillement des milliers de saucisses qui sont en train de cuire à vingt mètres de lui. Quelques familles hébétées et brûlées au troisième degré l'écoutent en buvant des bières et des pastis. De temps en temps, un gosse attrape une claque et se met à brailler.

Ensuite, comme les chansons sont un désastre et qu'on ne peut pas arrêter le chanteur (apparemment, c'est son triomphe de l'année), plus personne ne fait attention à ce qui se passe sur la scène. Tout le monde se met à parler, à crier, à commander des pizzas. Le bruit est atroce, Mme Samira regarde passer les pizzas d'un œil critique, et M. Samira dit que, si c'est pour voir ça, il préfère rentrer à la tente. Il emmène les Suisses avec lui pour faire une pétanque. Cinq minutes après, Mme Samira est tellement révoltée par les pizzas qu'elle décide de partir aussi avant de faire un scandale.

J'ai les yeux qui piquent à cause de la fumée des saucisses. Je crois que j'ai été mordue par une araignée, je n'arrête pas de me gratter la jambe en attendant que le groupe prenne une décision. Le groupe :

Samira, Areski, Hélène et moi. Hélène vient d'apprendre qu'Areski joue de la basse. Elle aimerait bien qu'il prenne la place du chanteur sur la scène. Areski dit qu'elle est folle, plutôt mourir. Samira propose d'aller faire un tour sur la plage, vu qu'il n'y a rien d'autre à faire. Je ne dis rien. À la fin, nous partons faire un tour sur la plage. Évidemment.

Il y a presque autant de monde sur la plage le soir que dans la journée. Normal, puisque justement il n'y a rien d'autre à faire. Les gens sont assis par terre en groupes et discutent. Il y en a qui boivent de la bière, d'autres qui font de petits feux de branches, d'autres qui mangent des sandwiches au sable. Ils sont piétinés par d'autres gens qui marchent en groupes dans la nuit sans faire gaffe où ils mettent les pieds. Notre groupe à nous préfère piétiner qu'être piétiné. Nous marchons d'un bon pas au milieu des assis. Samira et Hélène discutent devant. Areski et moi nous taisons derrière.

Au loin, on voit la lune scintiller sur la mer. Je n'aime pas la lune, je n'aime pas la mer, mais c'est plus fort que moi : même vu de la plage infestée de campeurs, c'est trop beau. Je ne sais pas ce qui me prend, j'ouvre la bouche et je dis :

– Regarde, la lune sur la mer, c'est beau.

J'ai encore perdu une occasion de me taire. Areski se met à rire. Il répète « C'est beau, c'est beau » comme s'il n'avait jamais rien entendu de plus idiot de sa vie. Je me sens tellement bête que j'ai envie de pleurer. Il m'énerve trop à la fin.

– Désolée d'être moi. Tu peux rejoindre les deux autres devant. Visiblement, elles ont des tas de trucs à dire, elles.

Il rit de plus en plus. Il m'énerve de plus en plus.

– De quoi il faut parler pour avoir l'air intelligente ? Tu peux me le dire au lieu de rire comme un ahuri ?

Il lève la tête et me regarde. Il rit tellement qu'il a des larmes plein les yeux.

– De musique peut-être ?

Il hoche la tête en gloussant. Ce type est une pintade, c'est la révélation de cette soirée.

– Je n'ai jamais rien entendu de plus laid, de plus ennuyeux et de plus nuisible que ce que tu joues avec ton groupe.

Il vient de tomber par terre. Il se roule dans le sable en se tenant le ventre. C'est le soldat Ryan. Peut-être qu'il va mourir sur la plage. Je vais lui flanquer un coup de pied pour abréger ses souffrances. Je suis malheureusement interrompue par l'arrivée de Samira et d'Hélène qui s'approchent de nous avec des airs légèrement envieux.

– De quoi vous parlez? demande Samira. Vous avez l'air de bien vous marrer.

Il se relève, il s'essuie les yeux et me montre du doigt.

– C'est elle, gémit-il. Elle n'arrête pas de m'agresser, elle est trop marrante.

Bon. Je me suis fait un nouvel ami masochiste. Il me regarde avec des yeux émerveillés. Il m'adore, c'est clair.

Nous rentrons de la plage en silence. Qu'on ne compte plus sur moi pour égayer la soirée. J'ai assez donné. Une dernière petite partie de cartes avant de s'enfermer sous la tente. J'inhale une grande lampée de poussière et je me ratatine lentement dans mon duvet bouillant. Un couple d'amoureux a décidé de rompre à cinquante centimètres de mes oreilles, la fille n'est pas d'accord et elle a l'intention de le dire. C'est de la télé en live. Encore une bonne nuit qui se prépare.

17 août

Plage. Joyeuse conversation. Semoule aux raisins. Cartes. Gâteaux à la pistache. Plage. Cartes. Joyeuse conversation. Boulettes au riz et aux carottes. Cartes. Promenade. Joyeuse conversation. Pitié.

18 août

Ma respiration est sifflante et je pèle des genoux.

Areski me regarde avec un petit sourire pétillant et des yeux pleins d'espoir. Il attend que je lui dise des horreurs. Pas question. Je ne suis pas un distributeur automatique de vacheries. L'après-midi, il nous a accompagnées à la plage et il s'est allongé à côté de moi.

Les deux filles étaient couchées sur le ventre et elles avaient enlevé l'attache de leur soutien-gorge à des fins de bronzage de dos. Qu'on m'explique à quoi sert de se bronzer le dos, et ma vie sera transformée. Qu'on m'explique à quoi sert de bronzer tout court, d'ailleurs.

Comme je ne disais rien, il a fait les frais de la conversation.

– Tu n'as pas trop chaud dans ton maillot de bain ?

C'était bien lancé et je sais reconnaître une attaque sportive.

– Je te pose des questions sur ta culotte ?

Il a eu un ronronnement de satisfaction et nous

avons commencé une petite discussion de bon niveau, d'où il ressortait que mon maillot de bain était un tchador complet et son bermuda une crinoline de Marie-Antoinette. Ensuite, j'ai refusé d'aller me baigner avec lui (ça ne va pas, non ?) et il a refusé de jouer à la crapette avec moi (et puis quoi encore ?). Nous nous entendions tellement bien que Samira m'a chopée à la fin de l'après-midi.

– Si tu crois que je ne vois pas que tu dragues Areski...

– QUOI ???

– PAS LA PEINE DE HURLER ! Tu vois très bien ce que je veux dire.

Conclusion : je n'ai pas le droit d'être aimable ET je n'ai pas le droit d'être mal aimable. Elle veut me rendre dingue, c'est clair. Je vais me venger, je vais lui glisser dessus toute la nuit.

Pour lui plaire, je devrais rester enfermée dans la tente tout le reste de la journée. Je finirais loyale et bouillie.

19 août

Je suis sortie. Je n'aurais pas dû. Areski traînait dans le coin. J'ai été obligée de lui parler.

– Je ne veux pas te parler.

Il a souri jusqu'aux oreilles.

– Moi non plus. Tu viens à la plage ? On part avec Samira et Hélène.

– Certainement pas !

Là, il a eu l'air tellement ravi que j'ai eu peur.

– D'accord, je reste avec toi.

Qu'est-ce que je pouvais dire ?

– Dans ce cas, j'y vais.

– Très bien, je t'accompagne.

Je suis partie pour la plage, mon tchador dans une main, ma serviette ultracouvrante dans l'autre, encadrée par Samira et Hélène et suivie par Areski, qui trottait joyeusement sur nos pas. Ce type est la réincarnation de Rantanplan.

Pendant que Samira et Hélène discutaient aimablement de leurs parcours scolaires, j'ai tourné vers lui ma figure pleine de sable et j'ai mis les choses au clair.

À voix basse.

– Je ne te drague pas, je te préviens. Pas la peine de te faire des illusions.

Il a tapé sur son bras pour en faire partir une famille de puces de mer qui lui galopaient dans les poils. Il s'est penché vers moi et il a murmuré.

– J'espère bien. Ce serait trop bête.

– Ça t'arracherait la bouche d'être sympa cinq minutes ?

– Je ne dis pas ça contre toi. C'est moi. Ça ne me dit rien de sortir avec les filles.

– QUOI ?

– PAS LA PEINE DE HURLER !

– QU'EST-CE QUI SE PASSE ? a crié Samira.

– Rien, a dit Areski. C'est Aurore.

Samira m'a jeté un regard noir tandis que je regardais son frère avec stupéfaction. Ces vacances ratées n'étaient pas si ratées que ça.

J'allais enfin pouvoir me faire un copain, et pas un amoureux merdique avec lequel rompre lamentablement au retour de vacances. Un vrai copain sans aucun risque de drague, baisers foireux et prises de mains diverses. Je me suis assise et j'ai tendu les bras vers lui :

– Toi, je t'adore !

Il m'a pris les mains et les a serrées dans les siennes. Ensuite, Samira a voulu m'arracher les yeux et elle m'a menacée de me jeter hors de sa tente. C'était tellement injuste que je lui ai dit de se disputer directement avec son frère au lieu de s'en prendre à moi. Qu'ils s'arrangent entre eux, à la fin. Je ne vais pas payer pour tous leurs petits secrets.

20 août

– Pas question, a dit Areski. Ça ne concerne pas ma famille. Je te dis à toi parce que c'est toi qui as commencé à me parler de drague. Mais ma sœur! Pourquoi pas mes parents pendant qu'on y est? Comme moyen de se détruire la vie, je ne vois rien de mieux.

S'il y a un truc que je peux comprendre, c'est qu'on garde ses parents à l'écart. Vade retro. Plus je le connais, plus je trouve qu'on se ressemble. Il restait juste un point à régler.

– Pour les concerts, je te dis franchement, je ne sais pas si je reviendrai...

– Il n'y aura plus de concerts. Plus de concerts de rock en tout cas. J'ai assez envie de monter un groupe de RnB...

Il s'est brusquement interrompu et il m'a regardée comme s'il venait de me découvrir au fond de son sac:

– À propos, tu as déjà essayé de chanter?

– QUOI???

– Exactement! Tu as une drôle de voix... Elle est forte, elle porte... Si tu t'entraînes, il y a peut-être quelque chose à en tirer.

Et nous avons fini de plier la tente. Car les vacances étaient finies, les boîtes de plastique vides étaient déjà rangées dans la remorque, Samira était en train de faire ses adieux à Hélène et nous nous apprêtions à quitter le camping pour rentrer chez nous…

SEPTEMBRE
Retrouvailles en pagaille

1er septembre

Il y a une semaine tout juste, nous étions tous à l'aéroport afin d'accueillir notre glorieuse Mamie de retour des Indes. Nous escortions notre illustre Papi. C'était très beau à voir, surtout ma sœur Jessica qui a triplé de volume, rapport à mon prochain (ma prochaine) filleul(e). Je veux bien croire que le ventre grossit, d'ailleurs le sien ne s'en prive pas. Mais les bras ? Les jambes ? Les joues ? On ne porte pas ses enfants dans les joues, que je sache. Ma sœur est une montgolfière totale. Elle va peut-être accoucher de partout. Elle était flanquée de son Vladouch, qui paraît tout petit à côté d'elle. Jessica est tellement grosse que j'ai pensé qu'on ne voyait qu'elle dans notre petite famille. Mais il a suffi que Mamie apparaisse à la sortie des voyageurs pour que tout se renverse. Bye-bye, Jessica. Bonjour, Mamie.

L'ancêtre nous est revenue en sari jaune pétard, le ventre à l'air et l'écharpe sur la tête, un rond rouge entre les sourcils. Le plus incroyable était encore le gros brillant qu'elle portait dans le nez.

Cette vieille Mamie s'est fait faire un piercing.

Jessica était tellement traumatisée que tout le monde a cru qu'elle allait accoucher sur place. Il a fallu l'allonger par terre et agiter des journaux sous son nez pour l'aérer. Pour finir, elle n'a pas accouché et heureusement. Son bébé n'a que six mois, encore un peu jeune pour voir son arrière-grand-mère en sari.

Elle a tenu ses menaces. Elle a rapporté du thé à tout le monde. Et des bijoux. Et des saris. Parfaitement. Elle m'a offert un sari. Parme et doré. En souvenir de la peinture de ma chambre, je suppose. Elle attend sans doute que je montre mon ventre... Elle est dingue ou quoi ?

2 septembre

Je n'arrive pas à penser que j'entre au lycée dans deux jours. D'ailleurs je n'y pense pas.

Ma grand-mère refuse de quitter son sari. C'est très bizarre d'essayer de parler normalement à sa grand-mère déguisée, surtout avec un diamant dans le nez et une puce rouge entre les yeux. La vie est pleine d'expériences inattendues.

Lola n'est toujours pas revenue. Elle traîne vaguement à la campagne chez sa belle-mère. Elle attend le dernier moment pour faire sa rentrée. Mais elle répond sur son portable. Comme prévu, tout est fini avec Filleul-de-Rêve, transmuté spontanément en Filleul-de-Cauchemar. J'évite de l'appeler dix fois par jour. Aucune envie de me taper le lamento habituel.

Pas le moindre petit coup de fil de Samira. Je m'en fiche. Après ces merveilleuses vacances, Areski appelle directement. Il veut que je fasse un essai de chanson. Trop fou, non ? Je n'y arriverai jamais.

C'est le premier ami de ma vie qui m'envoie des textos. Je me sens hyper intégrée dans le monde. C'est trop bête de devoir rentrer au lycée. Je vais me désintégrer en moins de deux.

3 septembre

Demain rentrée. Je m'en fiche complètement. Où il est, ce lycée, déjà ?

4 septembre

Je ne vois pas bien la différence entre le collège et le lycée. Des tables et des chaises d'un côté, c'est nous. Une estrade et un bureau de l'autre, c'est eux. Et entre deux, des classeurs, des feuilles quadrillées et un cahier de textes. Où est le changement, je le demande.

Le vrai truc, c'est que j'ai reçu un texto d'Ancelin ce matin. «Merci pour la lettre. Bonne rentrée. À bientôt.» Le tout en véritable vieille orthographe française complète bien de chez nous. C'est un peu mesquin, quand je pense à ma grande lettre, mais je suis contente. Un tout petit texto suffit pour dire que rien n'est fini entre nous. Splendeur de la technologie.

J'avais un peu peur de me retrouver toute seule dans le terrible grand lycée. Encore une trouille inutile. Rien que dans ma classe, j'ai Jabourdeau, Célianthe, Bastien et Samantha. J'ai même cette punaise d'Élodie Magnan. J'ai l'impression de tripler. C'est cool.

Mon seul problème est la réconciliation avec Samira. Je vais forcément finir par tomber dessus dans un couloir. Il va falloir s'expliquer. Le plus simple est de me recasser la jambe sous ses yeux. Je crois.

7 septembre

J'ai attendu Samira à la sortie. Je me suis plantée devant elle et je suis tombée par terre. Elle a tourné le dos et elle est partie. Le coup de la jambe cassée est périmé.

9 septembre

Quatre heures de cours le samedi. Il faut se lever six jours sur sept. Pourquoi pas de cours le dimanche, c'est la question. Quand je ne dors pas, j'essaie de faire le compte de toutes les heures que j'ai gâchées à l'école. Je n'y arrive jamais, il y en a trop.

Je traîne des millions d'heures à l'école et je suis toujours tellement nulle que je n'arrive même pas à calculer combien. Toutes ces heures qui ne servent à rien, puisque je ne sais rien, je ne suis bonne en rien et je n'aime rien. C'est quand même marrant, non ?

Pour arriver au même résultat, on pourrait y passer un peu moins de temps. Peut-être.

Il faudrait que j'en parle à Ancelin. C'est son truc, l'école.

10 septembre

Victoire. Au déjeuner dominical, ma grand-mère indianisée était habillée en costume occidental. Elle a remplacé le brillant dans le nez par un petit anneau très discret. Sophie lui a posé mille questions sur l'Inde. Tout juste si la pauvre femme a eu le temps de manger. L'Inde est au programme de la cinquième, on dirait.

11 septembre
Anniversaire mondial des deux avions dans les tours. Cinq ans. C'est quand même étrange. On dirait l'anniversaire d'un enfant qui serait la guerre. Il est né et maintenant il grandit. La guerre sait déjà marcher et parler. Elle se débrouille bien. Bientôt la guerre va entrer au CP. On se demande à quoi elle ressemblera quand elle sera grande. Ça fout les jetons, c'est tout ce que j'ai à dire, de vieillir pendant que la guerre grandit.

14 septembre
Jusqu'ici, tout va bien. Pas de contrôle en vue. On peut roupiller. En cours, je m'assieds à côté de Célianthe. On fait des concours de blagues à voix basse. La différence entre nous est qu'elle est super bonne élève. Elle apprend ses cours pour le lendemain et elle fait ses devoirs à la maison. Elle a des motifs sérieux, ses deux parents sont profs. Total, elle ne comprend pas pourquoi je ne travaille pas chez moi.

– C'est tellement plus simple. Ça évite d'y penser toute la journée en attendant les ennuis. Dans le fond, on gagne du temps.

Du temps pour quoi ? Pour travailler ? Typique de la bonne élève.

15 septembre

Je n'appelle pas Lola.

Elle m'appelle pas non plus. On ne se croise même pas dans la cour de l'immeuble. Elle ne me manque pas.

Je suis tellement obsédée par ma nouvelle vie que je n'ai pas le temps de penser à elle.

16 septembre

J'aurais pu appeler Lola aujourd'hui. Mais je n'avais pas envie de me vautrer dans les histoires de vieux petits amis et autres ruptures. Pas envie non plus de parler de Célianthe, qui est une intello, ni d'Areski, qui ne sort pas avec des filles. C'est ma vie à moi et je n'ai pas envie de déballer ma vie. Il y a des choses trop compliquées pour qu'on se fatigue à les expliquer.

Peut-être que Lola me fatigue.

Peut-être que j'en ai marre.

Ça me rend vaguement triste mais tant pis.

17 septembre

Areski m'a appelée. J'y vais samedi prochain. Il y aura les autres musiciens. On va faire un essai. Je vais chanter. Dans un studio. Je suis tellement excitée que je n'arrive pas à rester assise plus de quinze secondes. Si je ne bouge pas, j'explose.

J'ai passé le déjeuner interfamilial à débarrasser. À la fin, tout le monde s'est énervé.

– J'ai le droit de finir? a fait mon père en m'arrachant son assiette des mains.

– C'est vrai, ça, a dit Jessica. Moi aussi, elle m'a enlevé mes couverts et je n'ai même pas pris de fromage.

– Tu ne crois pas que tu es assez grosse comme ça?

C'est ce que j'ai répondu et ils ont tous poussé des petits cris scandalisés. Sous prétexte qu'elle est enceinte, on n'a plus le droit de rien dire. Je me demande si je vais faire marraine. Ce bébé n'est pas encore né et il a déjà commencé à me pourrir la vie.

Si c'est comme ça, je n'en veux plus.

Je me suis rassise à ma place avec douze millions de fourmis dans les jambes.

– C'est la dernière fois que je rends service.

– Tu peux sortir de table, a dit mon père. On t'a assez entendue pour aujourd'hui.

Je ne me suis pas incrustée. Au moins, dans ma chambre, je peux rester debout et faire des sauts sur place. En plus, je peux m'entraîner à chanter. Si on peut parler de chanter. Misère.

18 septembre

Célianthe fait du latin et du grec. Du grec. Je n'y crois pas.

C'est où, la Grèce ?

19 septembre

Je me suis renseignée. Il paraît que plus personne ne parle ce truc depuis deux mille ans. Deux mille ans ! En plus, ils n'ont pas les mêmes lettres que nous. Célianthe est obligée de tout réapprendre. Elle recommence au CP.

20 septembre

Je corrige : il y a un grec ultramoderne qui marche toujours (en Grèce). Et le vieux grec de Célianthe qui ne marche plus du tout (nulle part). C'est comme si elle apprenait à compter en francs alors que les autres comptent en euros depuis deux mille ans. Où est l'intérêt ? Je pose la question.

– C'est trop compliqué à expliquer.

Voilà ce qu'elle m'a répondu. Elle pense que je ne peux pas comprendre. Alors elle préfère ne rien me dire. C'est comme moi avec Lola. Je me sens super minable.

21 septembre
Ancelin était à la sortie du lycée. Quand je l'ai aperçue, elle était déjà en train de bavarder avec Célianthe et Jabourdeau. J'étais tellement impressionnée que j'ai fait semblant de ne pas la voir. Je me suis jetée comme une folle sur une fille inconnue.

– Tu es en quelle classe ?

La fille était complètement terrorisée. À sa place, j'aurais eu peur aussi. Les gens commencent par vous demander votre classe, après c'est votre adresse, après c'est dix euros et à la fin ils reviennent en bande pour vous casser la figure. Tout le monde connaît le truc.

– Pourquoi tu me poses la question? a fait la fille en tremblant comme le pauvre petit agneau de la fable (il est au bord du ruisseau et il a raison de trembler parce que la fin de l'histoire est moche pour lui).

– Pour rien. J'ai juste besoin de faire semblant de parler à quelqu'un pour faire semblant de ne pas voir quelqu'un que je n'ai pas envie de voir.

– En cinquième alors, a fait la fille, ce qui était idiot vu qu'il n'y a pas de collège dans le bâtiment.

On faisait toutes les deux des efforts démesurés pour faire semblant d'être à fond dans notre conversation quand Jabourdeau a hurlé.

– AURORE ! AURORE !!

– Je crois que c'est à toi qu'il parle, a remarqué la fille de cinquième.

– Ça m'est égal. Je ne le vois pas, je ne l'entends pas.

C'était faire peu de cas de Jabourdeau. Il en faut plus pour le décourager. Quand il m'a tirée joyeusement par la manche, il était devenu difficile de l'ignorer. J'ai levé les yeux sur lui. À dix mètres derrière, Ancelin marchait doucement vers moi, un sourire énigmatique aux lèvres. Le film d'horreur complet. Je lui ai tendu le bras de très loin pour qu'elle n'approche pas. Des fois qu'elle me ferait la bise, on ne sait jamais.

Elle m'a serré la main.

– Qu'est-ce que tu dirais de boire un café, ou une limonade, avec moi, un des ces après-midi ?

– Je dirais que vous êtes toujours aussi dingue.

– Parfait. Je viens te chercher jeudi. Même heure, même endroit.

22 septembre

– Tu es copine avec Ancelin ? m'a demandé Jabourdeau, avec les yeux écarquillés de celui qui n'arrive pas à y croire.

– Je t'en pose des questions ?

– Pourquoi tu m'attaques ? Qu'est-ce que je t'ai fait de mal ?

C'est vrai, à la fin. Qu'est-ce qui me prend de foncer sur ce pauvre Jabourdeau qui m'a envoyé une carte postale de Mexico quand j'étais seule dans le silence de l'Univers ?

– Excuse, Jabourdeau. J'avais oublié que c'était toi.

Il a eu un bon sourire compréhensif. Ce type est un saint. Il pardonne tout, les réponses agressives et les excuses absurdes.

– Ancelin n'est pas vraiment ma copine, mais elle m'aime bien et je ne vois pas pourquoi.

– Moi non plus, je ne vois pas.

Soit Jabourdeau est très gentil et toujours aussi bête. Soit il est un peu moins bête mais beaucoup moins gentil. Mystères de Jabourdeau.

Célianthe ne m'a rien dit. Mais elle me regarde d'une drôle de façon depuis hier. Parce que j'ai serré (de très loin) la main à un prof, je suis remontée dans son estime. Je ne sais pas quoi penser. Dans un sens, elle est comme tout le monde, elle se laisse impressionner par n'importe quoi et je suis déçue à mort. Dans un sens, elle va peut-être enfin m'expliquer l'intérêt d'apprendre une langue morte depuis deux mille ans.

23 septembre

Six garçons et une seule fille. Moi. Est-ce que ce n'est pas un miracle ?

Ce n'est pas que je n'aime pas les filles. Au contraire. Mais, pour une fille qui n'a que des sœurs, c'est marrant de se retrouver rien qu'avec des garçons. Ça fait sérieux. Ça fait classe.

Avec un peu de chance, aucun d'eux n'a envie de sortir avec une fille. Ce serait trop beau. On serait un groupe uni par la musique.

– Chante en hurlant, m'a dit Areski.

Comme j'étais assez timide (normal pour un début), j'ai eu le droit de tourner le dos aux autres. J'ai donc chanté en hurlant de mon mieux. Les paroles étaient du genre « Toute seule dans le noir, ils m'ont laissée toute seule dans le noir ». Tout à fait le genre de truc qui se hurle. Les garçons avaient l'air très contents.

– Chouette voix, a dit Julien.

– Bon coffre, a dit Nacer.

– Puissante, a dit Tom, et ainsi de suite (je ne vais pas faire les six voix à chaque fois).

Après, il fallait le faire en murmurant et, en soupirant. Soupirer, j'ai l'habitude. Et comme j'ai du coffre, on entend mes murmures de très loin. Sans vouloir me vanter, c'était assez réussi. Pour les paroles, on avait repris les mêmes : « Toute seule dans le noir, avec mes cauchemars, etc. ».

– Elle flanque le frisson, a dit David.

On touchait au triomphe quand j'ai lancé :

– Est-ce que je pourrais essayer avec des paroles moins merdiques ?

Le type qui s'appelle Tom a fait une drôle de tête.

– Tu n'as qu'à les écrire toi-même si les miennes ne te plaisent pas.

Il était moyennement content mais Areski était mort de rire.

– Ne te vexe pas. Elle est toujours comme ça. C'est son truc.

– Très marrante, a ronchonné Tom.

– Tu l'as dit ! a fait Areski. Incroyablement marrante !

J'ai fait un sourire géant pour montrer à quel point j'étais marrante.

– Tu reviens la semaine prochaine ? m'a demandé Julien quand j'ai serré les six mains pour les au revoir.

– Pas de problème.

Et je suis partie.

24 septembre

Après le déjeuner, Mamie m'a aidée à faire mon exercice de français. La prof exagère, elle veut tout le temps qu'on invente des trucs. Je n'aime pas quand on n'a pas de consigne précise.

On se casse la tête, on prend des risques et après on se fait sacquer.

Là, il fallait chercher des proverbes et puis les transformer en changeant les mots. Mamie a trouvé les proverbes, j'ai changé les mots.

– Après la pluie, le beau temps, a dit Mamie.

– Après le mariage, le divorce.

– Si tu veux. Petit poisson deviendra grand.

– Petit ennui deviendra grand.

– Trop facile. Tu peux faire mieux.

– Petite catastrophe deviendra géante.

– Bon, a soupiré Mamie. Tant va la cruche à l'eau qu'à la fin elle se casse.

– Tant va l'imbécile à la plage qu'à la fin il se noie.

– Essaie d'être un peu plus positive, ma chérie. Les petits ruisseaux font les grandes rivières.

– Les soucis minables font les dépressions épouvantables.

– J'en ai marre, a dit Mamie. Cette gosse me ruine le moral.

Si j'ai une mauvaise note, ce sera sa faute.

26 septembre

Résultat du premier contrôle de maths. J'ai quatorze. Célianthe a quinze. Élodie Magnan, qu'elle aille en enfer, treize.

– C'est bien, quatorze, a fait Célianthe.

– Normal, il n'y a que des révisions de l'année dernière. Attends que ce soit nouveau, et tu vas voir le désastre.

Elle m'a regardée comme si j'avais dit quelque chose de vraiment nul.

– Tu n'arrives jamais à être positive ?

Elle communique avec ma grand-mère ou quoi ?

28 septembre

Ancelin m'a emmenée au café. C'est elle qui a payé.

J'ai pris un diabolo citron, et elle un jus d'orange. C'était bien. Elle avait sa figure sérieuse de militaire en manœuvres.

– Tes notes?

– Quatre et demi en histoire.

– Nul.

– Huit en français.

– Insuffisant.

– Quatorze en maths.

– La meilleure note, c'était?

– Quinze.

– Et la pire?

– Cinq.

– Alors ça va.

Elle ne laisse rien passer. Elle vérifie tout. Elle est génialement impitoyable. Je lui ai demandé si elle voudrait bien me donner un petit cours de temps en temps. Si jamais je ne comprenais plus rien. Elle m'a regardée méchamment.

– Est-ce que je vais perdre mon temps à essayer de rattraper une fille qui ne fiche rien chez elle et qui n'écoute pas en cours?

– Non… Je ne crois pas…

– Si tu veux que je t'aide, tu as intérêt à te remettre à travailler toute seule. Et pas un peu, hein?

Elle a crié : « HEIN ? », c'était formidable. J'avais envie de mettre à travailler tout de suite, là, au café, pour qu'elle voie comme j'étais courageuse et qu'elle m'admire à fond. Mais comme c'était impossible, j'ai changé de conversation.

– Je vais chanter dans un groupe.

– Enfin une bonne idée. Tu m'inviteras aux concerts ?

– En échange des cours de maths ?

– Vendu.

Elle a tendu la main et j'ai tapé dedans. Elle est complètement cinglée, c'est tout.